陳飛龍著

文史哲學集成

葛洪之文論及其生平

文史哲出版社印行

葛洪之文論及其生平 / 陳飛龍著. -- 初版 --
臺北市：文史哲, 民 105.01 印刷
頁; 21 公分（文史哲學集成;38）
ISBN 978-957-547-245-0（平裝）

文史哲學集成 38

葛洪之文論及其生平

著　　者：陳　飛　龍
出 版 者：文　史　哲　出　版　社
http:// www.lapen.com.tw
e-mail：lapen@ms74.hinet.net
登記證字號：行政院新聞局版臺業字五三三七號
發 行 人：彭　正　雄
發 行 所：文　史　哲　出　版　社
印 刷 者：文　史　哲　出　版　社
臺北市羅斯福路一段七十二巷四號
郵政劃撥帳號：一六一八〇一七五
電話886-2-23511028・傳真886-2-23965656

實價新臺幣三二〇元

一九八〇年（民六十九）四月初版
二〇一六年（民一〇五）一月（BOD）初刷

ISBN 978-957-547-245-0　00038

葛洪之文論及其生平　目錄

緒言

吾國文學，創作悠久，類別孔多，先賢評論，歷代均有所見。兩漢以降，文論漸衆，至魏晉之際，評文之風始盛，文心雕龍序志篇述其情形曰：「魏文述典，陳思序書，應瑒文論，陸機文賦，仲洽流別，宏範翰林。」雖各家未盡精當，然已日趨縝密，蔚成風氣矣！其時除上述六家外，復有葛洪抱朴子之文論，尚未爲劉勰引述也。

抱朴子一書，隋書經籍志，分列道家與雜家，四庫書目則列爲道家；其書分內外兩篇，內篇論神仙、修煉、符籙、劾治諸事；外篇則論時政得失、人事臧否。其文多作排偶之體，而詞旨辨博，饒有名理，是固以文名世者也。然其自叙篇云：「洪忝爲儒者之末。」實具儒家所謂「席上之珍」。惟綜覽全書，葛氏之學，蓋由內而外，以出世精神洞察人事，庶幾達於「心齋」「眞人」之境。因之其文學思想，亦自內而外，頗能洞澈文學之內涵精神，不受儒家思想言論所囿限，故較具客觀、超然之態度。論文要旨，可得而言者，有數事焉。

貴古賤今，託古改制，起於先秦諸子。黃帝之所以集諸學之大成，而爲百家之共祖，即其顯例也。夫古之善者固可貴，亦未必事事皆然，若以「貴古賤今」概括全部歷史，殊背進化法則。是以王充、陸機諸氏，均曾力加闢除。降及葛洪，堅主一切事物屬進化，力證文學亦應隨時代而遞變；此猶舟車之代步涉，文墨之改結繩，乃爲必然之發展，準此以衡文章，今文之有勝於古文者宜矣！其實葛氏倡「今勝於古」之說，乃針對當時附遠謾近之病根而發者也。

爲文如徒事雕章琢句，爲華藻之言，而不能拯風俗、救世塗，果何補於世道人心？葛氏謂「古詩」「有益而貴」，「今詩」「有損而賤」（抱朴子外篇卷四十辭義篇），今古之分，似與其「今勝於古」之見地大相矛盾，實則不然，此純就「實用」之觀點立論也，蓋葛氏以爲文辭之功效，在勸導諷諭，力排虛美辭藻，壓抑個人情愫，方爲文章正道。此說全屬儒家主張。我國傳統儒家，自來皆以德行爲本，文章爲末，文章雖可騁辭耀藻，卻未必有裨於世，故綴文屬辭純爲閑人餘事。其德本文末之說，數千年來，深中人心，牢不可破。若魏文帝所謂「蓋文章，經國之大業，不朽之盛事」者，葛氏亦提出「文非餘事」之卓識，以爲文章與德行乃兄弟之關係，並無本末、先後、主從之分；故主「文德鈞等」，是文章自有千秋事業，與道德等量齊觀，不復再視作消閑之具矣！

葛氏謂古不勝今，則今自亦不減於古，百家之言，代有新境，遞相祖述，高深微妙，類皆出於鴻儒才士之手。若與古人相較，未必悉皆有所減色。故葛氏倡言尊崇「深美富博」之子書，旨在發微顯隱，砭弊助教，蓋漢魏之際，天下擾攘，學者或專攻訓詁，或溺於詩文，久而生厭，諸子之學，遂相繼復興，注釋詮解，創作繁多。視先代著述，各有所擅。思想藉文章而傳，文章藉思想而精。葛氏倡子書高出經書之論，雖有激而然，但由是使率爾爲文之士，注重文章之質素，俾形式與內涵兩相兼顧；此於針砭浮華之習，實有棒喝之功。文章爲事而著，爲情而發，勸導諷諭之作用見矣！

歷來屬文之士，多以能肖似古人爲榮，而葛洪學富才高，儷辭秀美，屬文能手，深悉創作甘苦，以謂綴詞成章、風品鑒賞，必具行文英才，並曉用筆之方，始克發其機巧，成其佳構。此卽主文學必須獨具匠心，方能出人頭地；不能蹈襲前人之作，而應言人之未嘗言者方爲可貴。自東晉以來，用典隸事之風，愈益盛行，文士積習，爲文「殆同書抄」「唯睹事例」之文體出焉。其後漸次遞變，復由偶語形式之注重，至於偶語內容之講求。用典組詞，隸事取譬，愈演愈烈，爲求「娛耳悅目」，秉筆爲文，皆同辭賦。葛氏爲文雖多作排偶之體，然以博喻廣譬說理，不尙奇字，駢散雜行，打破其時以四六爲主之行文習慣，此亦葛氏自闢蹊徑之處。故其文章雖偶不覺其繁，雖散不覺其疎。既重內容，復於文句組合之技巧，再三留意焉。

孟子嘗謂：「頌其詩，讀其書，不知其人可乎？」是以知人論事，當爲尙友古人之要旨。葛氏生平，見於抱朴子外篇卷五十自叙篇及晉書卷七十二葛洪傳，惟均未能逐年詳記，又或「語焉未詳」。晉書本傳謂洪八十一而卒，其誤實多。此於解析其作品，易滋困擾，特逐年詳加考述之。

葛氏生當晉室南渡之秋，其時玄學方盛，佛學初興，思想之混亂，自兩漢以來，無逾此時。葛氏之先，於道家爲近，而其祖氏及師門，於方術復多研究，浸染既久，影響自多，故葛氏之學，儒其表而道其內，用世之志有不得顯見於事功者，則轉而以仙學爲其想往之境界。或有疑神仙之事者，其實仙亦人格修養之一特殊位格耳。葛氏之先天境遇，既決定其心性；後天之遭際，又復導使其卓然特立，獨行其志。其事功不可見，其仙學不可學，可以討論者，惟文章之事而已。

葛氏著作，依典籍所載，計有抱朴子等六十餘種，其中或係葛洪所著、所撰、所編、所抄者，亦有後人節錄抱朴子原文、或抱朴子佚文成書者，甚或為後人所傳會者。其所撰有抱朴子內篇二十卷，專言服食修煉之術，大要以內保精神，外服上藥為主。內保精神之法有二：曰寶精，曰行炁。行炁之法在胎息。「得胎息者，能不以鼻口噓吸，如在胞胎之中，則道成矣」。胎息卽內呼吸，可以流暢血液，調和元氣，與今日所謂「深呼吸」類似，而其方法則近於神密。此卽「胎息術」「抱朴子養生論」「玉策記」「龜決」諸著作之附託於葛洪也。至於寶精之法為房中術，其言曰：「房中之法」其大要在於還精補腦之一事耳」（以上均見抱朴子內篇卷八釋滯篇）。但其方法亦怪誕難信。此亦卽「序房內祕術」「玉房祕術」「葛氏房中祕術」諸著作之託名於葛洪也。

至若服食上藥，本為方士養生之論。葛洪特重此點，故歷訪名山，採藥研製，分藥物為三等：下品可以療病，中品可以養性，上品可以延命升天，如丹砂、五芝、玉札、曾青、雄黃、雌黃、雲母之類，而以九轉金丹為最上品。葛氏以為植物性藥品易於腐化，而礦物類藥品則長生不變，故認金汁、金丹為升仙上藥（以上均見抱朴子內篇卷十一仙藥篇）。故抱朴子內篇卷十五雜應篇，卽自言撰有玉函方百卷，以其書於醫藥學甚有貢獻，故後世遂有肘後要急方、肘後方、肘後救卒方、肘後備急百一方、肘後急要方、肘後百一方、治金創方、肘後備急方諸異名者，僅以增補、時異而書名、卷數有所異耳。

其後梁陶弘景爲之增補，得一百一首，爲肘後百一方；金楊用道亦取作廣肘後方，益世良多。今本肘後備急方僅存七十首，醫方類聚所引，多於今本者十四首，合之凡得八十四首，較之百一方尙闕十七首。此書既已屢爲他人竄亂增益，又復殘闕不完，至足惜也。惟亦足以說明其影響後世之深遠矣！他若抱朴子書中又論及辟穀之法，不寒之術，按摩道引之方，却病之訣，以及其他諸方術，其書於道敎理論之建設，與魏伯陽之參同契，同具崇高之地位，若葛氏者，蓋有功於道敎者也。其書玉石淆混，亟宜分辨，故一一考證，殿附篇末焉。

第一章　葛洪之文論

陳飛龍　著

第一節　今勝於古

歷代以來，率常貴耳聞而賤所見，高往古而下後世。如東漢桓譚新論有言：「世咸尊古卑今，貴所聞，賤所見也。」（註一）漢書揚雄傳贊復引其言曰：「凡人賤近而貴遠。」（註二）而後王充論衡齊世篇亦曰：「世俗之性，賤所見，貴所聞也。」（註三）降至魏世，曹丕典論論文亦曰：「常人貴遠賤近，向聲背實。」凡諸引語，皆所以說明「貴古賤今」，各爲當世之風尙。逮於晉世，晉書左思傳復有言曰：「（晉世）咸『貴遠而賤近』，莫肯用心於明物。」（註四）足見其時習氣，亦復如是。凡此種種，不難想見「貴遠賤近」、「今不如古」之說，由來已久，深植人心而牢不可破者也。是以自古及今，爲文必道尙書，說詩必稱三百。此一成例，殆無人敢相左。迨葛洪出，則以爲此一事象，似有未當，乃於抱朴子中，設鈞世專篇，爲之說明。茲爲論述之便，分段說明如后：

首先，葛氏乃假「或人」之口，提出相反之意見，展開問題，其言曰：

「或曰：『古之著書者，才大思深，故其文隱而難曉；今人意淺力近，故露而易見。』以此易見，比彼難曉，猶溝澮之方江河；螘垤之並嵩岱矣。故水不發崑山，則不能揚洪流以東漸；書不出英俊，則不能備致遠之弘韻焉。」

按此段文字，與王充論衡自紀篇所設之「或曰」者，如出一轍（註五）。以爲：古之著書者，因「才大思深，故其文隱而難曉」；今之著書者，以其「意淺力近，故露而易見」，古今相比，猶大陵之比螘垤，相去甚遠。揚洪東漸之水，必發自崑崙；致遠弘韻之文，必出諸英俊。「或曰」之語，實係傳統之說，而非王充葛洪二氏所主者也。

茲就標明「抱朴子答曰」文句，分段加以解說如后。先曰：

「『夫論管穴者，不可問以九陔之無外；習拘閡者，不可督以拔萃之獨見。蓋往古之士，匪鬼匪神，其形器雖冶鑠於疇曩，然其精神，布在乎方策，情見乎辭，指歸可得。且古書之多隱，未必昔人故欲難曉，或世異語變，或方言不同，經荒歷亂，埋藏積久，簡編朽絕，亡失者多，或雜續殘缺，或脫去章句，是以難知，似若至深耳！』」

意謂：以管窺天、以穴覗文者，難以探索無外之九陔；思慮拘泥、食古不化者，不克表達卓越之創見。往古之士，並無鬼神，其形骸雖毀於往昔，然其心智常寄於簡策；思慮見乎文辭，衷情自必可喻。古書多隱，每因：㈠「世異語變」，㈡「方言不同」，㈢「經荒歷亂」，而難於知曉。葛氏此說，蓋與王充論衡自紀篇所謂「古今言殊」、「四方談異」者（註六）相同，而尤有進者焉。

又曰：

「且夫『尚書』者，政事之集也，然未若近代之優文、詔策、軍書、奏議之清富贍麗也；『毛詩』者，華彩之辭也，然不及『上林』、『羽獵』、『二京』、『三都』之汪濊博富也。然則古之子書，能勝今之作者，何也？然守株之徒，嘍嘍所翫，有耳無目，何肯謂爾？其於古人所作爲神，今世所著爲淺，貴遠賤近，有自來矣。故新劍以詐刻加價，弊方以僞題見寶也。是以古書雖質樸，而俗儒謂之墮於天也；今文雖金玉，而常人同之於瓦礫也。」

此言：「尚書」「政事之集也」，然與近代「優文、詔策、軍書、奏議」相較，誠非「清富贍麗」之作；「毛詩」「華彩之辭也」，惟與「上林、羽獵、二京、三都」諸賦相比，終非「汪濊博富」之篇。然則後世諸作，曷克勝曩古諸家？蓋因守成不變、抱故不化者，均拘拘於翫習，有耳而無目，不知有所變通故也。其人以謂「古人所作爲神，今世所著爲淺」，於是「貴遠賤近」之說由來久矣！新鑄之劍，常以僞刻名識而增其價；破舊之書，每因詐加序跋而受珍寶。於茲可見，「古書雖質樸，而俗儒謂之墮於天」，「今文雖金玉，而常人同之於瓦礫」。

葛氏先以「書」「詩」爲例，力證今文勝於古文。復見世人貴古風盛，乃列舉近代之作有勝於前代之文、今人之言有優於古人之辭者，以證貴古賤今之說殊不足取。並進而謂今文之「清富贍麗」、「汪濊博富」，即其所以超越古書「醇素樸拙」之處。葛氏亦曾痛責崇古卑今之人爲「守株之徒」，以謂彼等皆「有耳無目」者也。須知貴古賤今，學者通病。葛氏主文學進化之論，品評文學不可有所局囿，其於文學思想實有創獲，非拘墟者所可比擬也。

又曰：

「然古書者雖多，未必盡美，要當以爲學者之山淵，使屬筆者得采伐漁獵其中。然而譬如東甌之木，長洲之林，梓豫雖多，而未可謂之爲大厦之壯觀，華屋之弘麗也；雲夢之澤，孟諸之藪，魚肉之雖饒，而未可謂之爲煎熬之盛膳，渝狄之嘉味也。」（註七）

葛洪雖力詆「貴古賤今」、「卑近尊遠」傳統之說，但亦無「古書無用」「近事獨尊」之意。證諸前引文字，當可知其梗概。葛氏以爲：古書雖未必盡善，要當爲學者采薪、捕漁、狩獵之所，有如東甌、長洲之林，良材雖多，未可逕稱爲壯觀大厦、宏麗華居；彷彿雲夢、孟諸之澤，爲水族之聚處，難於直稱爲烹成之盛饌，兪兒狄牙調就之美味。凡此諸語，皆所以說明：文學作品爲一事，文學素材又爲一事，豈可混爲一談。

又曰：

「今詩與古詩，俱有義理，而盈於差美。方之於士，並有德行，而一人偏長藝文，不可謂一例也；比之於女，俱體國色，而一人獨閑百伎，不可混爲無異也。若夫俱論宮室，而奚斯路寢之頌，何如王生之賦『靈光』乎？同說遊獵，而『叔畋』『盧鈴』之詩，何如相如之言『上林』乎？並美祭祀，而『清廟』『雲漢』之辭，何如郭氏『南郊』之豔乎？等稱征伐，而『出車』『六月』之作，何如陳琳『武軍』之壯乎？則舉條可以覺焉。近者夏侯湛、潘安仁並作『補亡詩』，『白華』『由庚』『南陔』『華黍』之屬，諸碩儒高才之賞文者，咸以古詩三百，未有足以偶二賢之所作也。」

此言：今古詩篇，所表現者各不相類；就用辭而言，今詩較古詩爲美。於是先以男女爲例，說明兩文相較，必有優劣：

(一)譬如男士，二人德行同其美善，但其中一人獨擅文辭藝術，則不可謂爲兩皆一例；

(二)譬如婦女，兩者體態同屬天香國色，如其一人閑於技術藝事，則不能混稱無所軒輊。

復次，依據文辭性質，分四類說明如后：

(一)就宮室之壯麗，言公子魚讚僖公作大廟蓋世無雙，所成魯頌閟宮之歌，何可比擬王延壽稱美魯殿所撰靈光之賦？

(二)就遊獵盛典之作，說明：詩三百中「叔畋」、「盧鈴」諸篇，何能比於司馬相如上林之賦？

(三)就讚美祭祀之章，說明「淸廟」、「雲漢」兩篇，何如郭璞南郊賦之豔麗？

(四)就征伐之描述，說明「出車」、「六月」等詩，何能及得陳琳武軍賦之雄壯？

再以當世夏侯湛、潘安仁所撰補亡詩爲例，說明二氏之補作，與佚詩白華、由庚、南陔、華黍諸題，皆足可匹敵，而碩彥鴻儒及賞文高士，無不以現存各詩，尙乏可與倫比之作焉。

凡諸例語，一以明文有高下之理；一以實「今勝於古」、「近勝於遠」之論。

又曰：

「且夫古者事事醇素，今則莫不彫飾，時移世改，理自然也。至於罽錦麗而且堅，未可謂之減於蓑衣；輜軿妍而又牢，未可謂之不及椎車也。書猶言也，若入談語，故爲知音（「音」字，本作「有」，依孫星衍改）；胡越之接，終不相解，以此教戒，人豈知之哉？若言以易曉爲辨，則書何故以難知爲好哉？若舟車之代步涉，文墨之改結繩，諸後作而善於前事，其功業相次千萬者，不可復縷舉也。世人皆知之，快於曩矣，何以獨文章不及古邪？」

此言：往昔之世，風氣甚爲樸素，至於今日，事事莫不講求修飾；時移世易，是乃自然之理也。至於毛組絲織之衣物，牢而且美，難言其遜於漁父之蓑衣。婦人之帷車，華而又固，豈可指其不如粗拙之椎車？文字記載彷彿口頭語言，夾雜方言土語，尚可使人有所理會；惟北胡南越之人，晤對交談，終難彼此瞭解，如竟以胡語越言施諸教導警戒，何以明其意旨？言語易曉者方爲明白，而文字豈可以難曉爲美？有如車以代步、舟以涉水，今之文墨以代古之結繩，後人之所作，常勝於前人之所爲，比其功用，相距何啻千里？凡諸事例，勢難一一列舉也。世人旣知後出者常優於曩昔，則文辭何獨今不如古耶？葛氏引據諸事爲例，以證今事常勝於往昔，須知：罽錦麗堅，就功用而言，應不減於蓑衣；輜軿妍牢，依人之喜愛而言，必當逾乎椎車。於是以何獨「文章不及古邪」爲結，以成爲文「不可貴遠賤近」之說。要之：文字之淺顯易解者，豈可據以斷言其必爲不善；文字之艱深難曉者，亦不足以示其必爲高古。總之，文章之優劣爲一事；文字之難易又爲一事，豈能混爲一談。

我國文學論述，素爲儒家思想所左右，歷來卽有「今不如古」、「古必勝今」之觀念存焉。是以人皆稱堯舜，言必尊先王。其能擺脫儒家窠臼而有所建樹者，葛氏之前，有王充、曹丕二氏。

王氏之言曰：

「文士之務，各有所從：或調辭以巧文，或辯僞以實事。必謀慮有合，文辭相襲，是則五帝不異事，三王不殊業也。美色不同面，皆佳於目；悲音不共聲，皆快於耳。酒醴異氣，飲之皆醉；百穀殊味，食之皆飽。謂文當與前合，是謂舜眉當復八采，禹目當復重瞳。」（註八）

又曰：

「周有郁郁之文者，在百世之末也。漢在百世之後，文論辭說，安得不茂？喻大以小，推民家事，以睹王廷之義：廬宅始成，桑麻纔有，居之歷歲，子孫相續，桃李梅杏，菴丘蔽野，根莖衆多，則華葉繁茂。漢氏治定久矣，土廣民衆，義興事起。華葉之言，安得不繁？夫華與實俱成者也，無華生實，物希有之。」（註九）

又曰：

「夫俗好珍古不貴今，謂今之文不如古書。夫古今一也，才有高下，言有是非，不論善惡而徒貴古，是謂古人賢今人也。……善才有淺深，無有古今；文有僞眞，無有故新。」（註一〇）

曹氏則曰：

「常人貴遠賤近，向聲背實。」（註一一）

葛氏上項論點，蓋宗王充「變古爲高」、「無有古今，故新」，與曹丕抨擊常人「向聲背實」之旨，而多所發揮。

葛氏有見於「貴遠賤近」之弊，乃主「重所見、輕所聞」之說，其於尚博篇言曰：

「世俗率神貴古昔，而黷賤同時：雖有追風之駿，猶謂之不及造父之所御也；雖有連城之珍，猶謂之不及楚人之所泣也；雖有擬斷之劍，猶謂之不及歐冶之所鑄也；雖有起死之藥，猶謂之不及和鵲之所合也；雖有超羣之人，猶謂之不及竹帛之所載也；雖有益世之書，猶謂之不及前代之遺文也。是以仲尼不見重於當時，太玄見蚩薄於比肩也。俗士多云：今山不及古山之高，今海不及古海之廣，今日不及古日之熱，今月不及古月之朗。何肯許今之才士，不減古之枯骨？重所聞，輕所見，非一世之所患矣。」

此言：世人率常貴古昔而賤今世。是以吾人雖有追風之馬，而世人猶謂不若周之善御者造父所策之駿；雖有價值連城之寶，猶謂不若卞和所獻、楚王不信而泣之玉；雖有所向皆斷之寶劍，猶謂不若越之良匠歐冶之所鑄造；雖有起死回生之靈丹，猶謂不若秦之醫和、鄭之扁鵲之所劑合；雖有不世出之才士，猶謂不若往古竹帛所載之人；雖有救人益世之作，猶謂不若曩昔之遺書。衆見所趨如斯，因而聖如仲尼，亦不免於栖栖遑遑，奔走四方，而不見重於諸侯；漢儒揚雄著太玄之經，雖爲匹敵聖賢之書，而時人張柏松以爲不值一顧，不屑與之併肩同行；劉歆復譏其祇可「用覆醬瓿」。當世之俗見皆言：今世之山，莫如往昔之山高；今世之海，無及古昔之海廣；今世之日華，不若上古之燠熱；今世之月色，難敵上古之明朗。執此成見者，何肯予今之才士以贊許，而稱揚其才情不遜往古高士乎？

上引文字，皆葛氏所設之喻，考其用意，莫不說明世俗之人主「貴古賤今」之不當。若細究文義，各以其功效而言，當不難發現原持之論點，證諸事實，殊不相符，如加以推演，自必歸於相反之結語。

復於文行篇言曰：

「世俗率貴古昔而賤當今，敬所聞而黷所見。同時雖有追風絕景之駿，猶謂不及伯樂之所御也；雖有宵朗兼城之璞，猶謂不及楚和之泣也；雖有斷馬指雕之劍，猶謂不及歐冶之所鑄也；雖有生枯起朽之藥，猶謂不及和鵲之所合也；雖有冠羣獨行之士，猶謂不及於古人也。」

此段與前引尚博篇文字相比，除用語簡略，其文意甚少差異，故特一并抄錄，以供參考，不再加以論列。

上引葛氏二段文字，皆以說明：世人「貴遠」之由，或起於「時間」之「距離」也。就吾人所知，葛氏亦曾就「空間」之「距離」，予「貴遠」之說，加以辯駁。其言曰：

「抱朴子曰：貴遠而賤近者，常人之用情也。信耳而疑目者，古今之所患也。是以秦王歎息於韓非之書，而想其爲人；漢武慷慨於相如之文，而恨不同世。及既得之，終不能拔，或納讒而誅之，或放乎冗散，此蓋葉公之好僞形，見眞龍而失色也。」（註一二）

此言：常人之貴遠賤近，蓋出於感情作用。古今所病者，類皆信其耳之所聞，而疑其目之所見。如秦王見韓非之書，歎服再三，而思慕其人；漢武誦相如之賦，驚賞不已，而恨不與之相見。既見之後，或終未得擢拔，或因讒而伏誅，或終投閒置散。凡諸例證，有如葉公子高之鉤以寫龍、鑿以寫龍、屋室雕文以寫龍，及見眞龍下降，窺頭於牖，施尾於堂，乃棄而遁逃，失其魂魄矣！

上引葛氏文字，在說明「賤近」說之不當。而此說之產生，蓋生於「空間」之距離者也。殊不知事物之妍媸，誠與時間、空間之距離無關。

吾人不得以時間相差較久，或空間相距較遠，即以爲「貴」、以爲「美」；反之亦不得以時間相差較暫，或空間相距較短，即以爲「賤」、以爲「媸」。按葛氏評論文學，素以實用爲主（詳本章第二節），固與英人布洛（Bullough）氏以「心理距離」（Psychical Distance）爲產生美感之說，大異其趣（註一三）。

就吾人所知，稚川之論點，與仲尼「信而好古」之說，大相逕庭。而劉勰文心雕龍則曰「文律運周，日新其業，變則其久，通則不乏。趨時必果，乘機無怯，望今制奇，參古定法」（註一四）；如是云云，固在教人不必專事效古，此與葛氏所主者，似亦若相符合。

逮乎梁代，蕭統昭明文選序云：

「若夫椎輪爲大輅之始，大輅寧有椎輪之質？增冰爲積水所成，積水曾微增冰之凜，何哉？蓋踵其事而增華，變其本而加厲。物既有之，文亦宜然。」

蕭氏力主後世之雕飾，並不遜於古昔之淳素。文風既代有變易，人事復日趨繁雜，文章乃富美日新，內容亦翻空詭譎，實爲必然之趨勢，豈可薄今厚古哉！

明呂新吾（坤）曰：「漢以來儒者一件大病痛，只是是古非今。今人見識作爲，不如古人，此其大都。」（註一五）意謂前人之辭，未必盡美；今人之文，非無可取。車船之代步涉，文字之改結繩，此皆今人事功之勝於前代者也，文辭何獨不然？唐杜甫戲爲六絕句云：「不薄今人愛古人，淸詞麗句必爲鄰。」（註一六）此雖爲少陵爲詩之期望，蓋亦惋惜時人「是古非今」之非是。吾人爲詩、爲賦、爲文，於古人愛之則可，薄於今人，實亦不必。此或爲品評文學之圭臬也歟？

註一：見嚴可均輯校全後漢文卷十五。

註二：漢書卷八十七下揚雄傳贊曰引桓譚之言，曰：「凡人賤近而貴遠，親見揚子雲祿位容貌不能動人，故輕其書。」

註三：王充論衡卷十八齊世篇：「使當今說道深於孔墨，名不得與之同；立行崇於曾顏，聲不得與之鈞；何則？世俗之性，賤所見，貴所聞也。」

註四：晉書卷九十二左思傳：「張載爲注魏都，劉逵注吳蜀而序之曰：『觀中古以來爲賦者多矣，相如子虛擅名於前，班固兩都理勝其辭，張衡二京文過其意。至若此賦，擬議數家，傅辭會義，抑多精至，非夫研覈者不能練其旨，非夫博物者不能統其異。世咸貴遠而賤近，莫肯用心於明物。斯文吾有異焉，故聊以餘思爲其引詁，亦猶胡廣之於官箴，蔡邕之於典引也。』」

註五：王充論衡卷三十自紀篇：「充書形露易觀。或曰：『口辯者其言深，筆敏者其文沉。案經藝之文，賢聖之言，鴻重優雅，難卒曉睹；世讀之者，訓古乃下。蓋賢聖之材鴻，故其文語與俗不通。玉隱石間，珠匿魚腹，非玉工珠師，莫能采得。寶物以隱閉不見，實語亦宜深沉難測。「譏俗」之書，欲悟俗人，故形露其指，爲分別之文；「論衡」之書，何爲復然？豈材有淺極，不能爲覆？何文之察，與彼經藝殊軌轍也？』

答曰……「論衡」者，論之平也。口則務在明言，筆則務在露文。」

註　六：王充論衡卷三十自紀篇：「夫文由（猶）語也，或淺露分別，或深迂優雅，孰爲辯者？故口言以明志；言恐滅遺，故著之文字。文字與言同趨，何爲猶當隱閉指意？……經傳之文，賢聖之語，古今言殊，四方談異也；當言事時，非務難知，使指閉隱也。後人不曉，世相離遠，此名曰『語異』，不名曰『材鴻』。」

註　七：「渝」字，百子全書本作「喩」。「渝」，指「俞兒」；「狄」，指「狄（易）牙」；前者黃帝時人；後者齊桓公膳夫；皆善於烹調識味者也。莊子駢拇篇：「屬其性於五味，雖通如俞兒，非吾所謂臧也。」釋文：「司馬云：『古之善識味人也。』崔云：『尸子曰：「膳俞兒，和之以薑桂，爲人主上食。」』淮南（指氾論篇）云：『俞兒狄牙，嘗淄澠之水而別之。』一云：俞兒，黃帝時人。狄牙則易牙，齊桓公時識味人也。一云：俞兒亦齊人。」

註　八：見王充論衡卷三十自紀篇。

註　九：見王充論衡卷十三超奇篇。

註　十：見王充論衡卷二十九案書篇。

註十一：見文選卷五十二曹丕典論論文。

註十二：見抱朴子外篇卷三十九廣譬篇。

註十三：說見朱孟實文藝心理學第二章。

註十四：見文心雕龍通變篇。

註十五：見明呂坤呻吟語卷四品藻篇。

註十六：見清仇兆鰲杜詩詳註卷十一。

第二節　文貴實用

王充乃東漢中葉之思想家，其文論素以實用爲主，力主文章之用，非徒調弄筆墨，而爲姸麗之辭，乃「載人之行，傳人之名」者也。須知「文人之筆」，功在「勸善懲惡」（註一）。文辭「爲世用者，百篇無害；不爲用者，一章無補。如皆爲用，則多者爲上，少者爲下」（註二）。反之，「無益於國，無補於化」（註三）者，則毫無價值可言。

葛氏於王充，素爲敬仰，仲任是項論點，影響稚川者殊深。陸機文賦之所謂「伊茲文之爲用，同衆理之所因，恢萬里而無閡，通億載而爲津」，亦亟稱文學之功用。於今傳抱朴子書中，雖未曾提及陸機其人，然意林、北堂書鈔、太平御覽諸類書所引抱朴子佚文（註四），涉及陸機之處綜而觀之，似可窺見稚川之於士衡，甚加推重，褒贊。葛氏之文論，於陸機之說，當亦不無關連也。

抱朴子應嘲篇曰：

「夫制器者，珍於周急，而不以采飾外形爲善。立言者，貴於助教，而不以偶俗集譽爲高。若徒阿順諂諛，虛美隱惡，豈所匡失弼違，醒迷補過者乎？處寡和而廢白雪之音，嫌難售而賤連城之價，余無取焉。」

此言：制器之旨，在於周急，不以其外形之美善、采飾之有無爲重。立言之要，貴能裨助教化，匡弼違失。所謂「貴於助教」、「匡失弼違」，似即重視文學之實用，而輕視華美之純文學也。辭章若徒事阿諛虛美，必將無補於事。雖爲陽春白雪之音，價值連城之作，惟以憂慮附和者寡，嫌其難於得售，亦不足取也。

老莊之學，有其深奧微妙之理在，葛氏評之曰：「道家之言，高則高矣，用之則弊。」因而斷言：道家不若儒家之切於世用，止「可得而論，難得而行」也（註五）。至於堅白之說，全是空論無用，故葛氏評之曰：「論廣修堅白無用之說」，皆「辯虛無之不急，爭細事以費言」耳（註六）。「何異乎晝敖倉以救飢，仰天漢以解渴」哉（註七）？抱朴子尚博篇曾以「正經」與「子書」等量齊觀，其言曰：「正經為道義之淵海，子書為增深之川流。仰而比之，則景星之佐三辰也；俯而方之，則林薄之裨嵩嶽也。……故通人總原本以括流末，操綱領而得一致焉。」（註八）葛氏以為正經與道義，一如淵海，一如川流。其塗雖殊，其歸則一，是以用世之效，不相軒輊。凡此諸語，皆就「功用」立說者也。

葛洪於辭義篇，論詩之功效及其得失，則曰：

「文貴豐贍，何必稱善如一口乎？不能拯風俗之流遯，世塗之凌夷，通疑者之路，賑貧者之乏，何異春華不為肴糧之用，茝蕙不救冰寒之急？古詩刺過失，故有益而貴；今詩純虛譽，故有損而賤也。」

此言：文辭雖以豐贍為貴。惟以文各異類，如欲加以稱美，豈能止於一口，限於一辭，而不各依其內涵，予以分辨？為文辭者，如徒事雕章琢句，止求字華詞美，而不能拯風俗，救世塗，又何補於世道人心？如此之文，誠難解世人之疑、賑貧者之乏？其與春日作花難為菜肴米糧之用、香草芷蕙無益於冰凍寒冷之需有何差異？依功用觀之，「古詩」有美其政、刺其失之效，若詩而於事有益，自可受人貴重；「今詩」純屬虛言妄譽，於人有損，自亦不免於遭人賤視。

葛氏於此，強言古詩美刺之用，其所謂「古詩」，蓋指詩三百篇而言。古詩以其有益於事，因而受人尊重；而今詩每多虛妄之詞，以其有損於人，自必遭受賤視。稚川此項主張，與本章一節所謂今勝於古，似有抵觸。前節曾言：如言宮室之壯麗，後人王延壽之靈光殿賦，遠比閟宮之詩爲美；如言遊獵盛典之作，後人司馬相如之上林賦，遠比叔畋盧鈴二詩爲善；如言讚美祭祀之章，後人郭璞之南郊賦，實較清廟雲漢二詩爲艷；如言征伐之描述，後人陳琳之武軍賦，遠比出車六月二首爲壯。且進而言曰：詩三百雖兼有華彩之辭，亦遠不及後人上林、羽獵、二京、三都諸賦之汪濊博富也。

由「本章一節」所舉「今詩勝於古詩」諸事例，當可概見：葛氏心目中，詩之爲用，非止一端。詩既可用以摹寫宮室之宏麗、記述遊獵之盛會、頌贊祭祀典禮之隆重，又可用以描繪征伐之壯烈。惟古之說詩者，每以三百篇有刺過失之效，而此一特性，一般而言，非後世之詩所能具有。葛氏前節「今貴古賤」之說，蓋從大處立言，而本節曰：「古詩刺過失，故有益而貴；今詩純虛譽，故有損而賤也。」係就特別功用而言，立言之點有別，當可理會。雖然，前後矛盾，總覺不無遺憾。

葛氏曰：

「物貴濟事，而飾爲其末。化俗以德，而言非其本，故縣布可以禦寒，不必貂狐；淳素可以匠物，不在文辯。」（註九）

此言：物品以成事者爲貴，以刻鏤繪畫爲末。個人品德可以變化社會風俗，徒事言辭，非施政之根本。緜布有禦寒之效，何須服用貂狐？物品製作可用樸素之材，思想表達何須文飾強辯。葛氏之意，文章以功用爲主，不必專以修辭爲事。

北宋歐陽修代人上王樞密求先集序書云：

「甚矣，言之難行也。事信矣，須文，文至矣，又繫其所恃之大小，以見其行遠不遠也。書載堯舜，詩載商周，易載九聖，春秋載文武之法，荀孟二家載詩書易春秋者，楚之辭載風雅，漢之徒，各載其時主聲名文物之盛以爲辭。後之學者，蕩然無所載，則其言之不純信，其傳之不久遠，勢使然也。」（註十）

上引文字，意在說明：文之存湮，繫於所載理之有無；行之遠近，視乎所恃道之大小。詞章價值如何，全以致用爲斷。歐陽修生於葛洪之後，自思想淵源言之，難謂其絕無關連也。

註一：以上引文均見王充論衡卷二十佚文篇。

註二：見王充論衡卷三十自紀篇。

註三：見王充論衡卷二十佚文篇。

註四：太平御覽卷六百零二引抱朴子佚文：「嵇君道問二陸優劣？抱朴子曰：朱淮南嘗言：『二陸重規沓矩，無多少也。』一手之中，不無鈍利，方之它人，若江漢之與潢潦。陸子十篇，誠爲快書者。其辭之富者，雖覃思不可損也；其理之約者，雖潛筆腐豪不可益也。陸平原作子書未成，吾門生有在陸君軍中，嘗在左右。說：『陸君臨亡，曰：「窮通，時也；遭遇，命也。古人貴立言以爲不朽，吾所作子書未成，以此爲恨耳。」』余謂仲長統作昌言未竟而亡，後董襲撰次之。桓譚新論未備而終，班固謂其成琴道。今才士何不贊成陸公子書？」卷五九九亦引抱朴子佚文云：「秦時不覺無鼻之醜，陽翟憎無瘿之人，陸君深疾文士放蕩，流遁遂往；不爲虛誕之言，非不能也。陸君之文，猶玄圃之積玉，無非夜光也。吾生之不別陸文，猶侏儒測海，非所長也。」以上二段抱朴子佚文，竝見隋虞世南北堂書鈔卷一百暨南唐馬總意林卷四，惟文字略簡耳！

註五：以上二段引文均見抱朴子外篇卷十四用刑篇。

註六：見抱朴子外篇卷四十九知止篇。

註七：見抱朴子外篇卷四十二應嘲篇。

註八：此段文字又見抱朴子外篇卷四十四百家篇。

註九：見抱朴子外篇卷三十九廣譬篇。

註十：見歐陽修全集卷三、居士外集二。

第三節　文德鈞等

吾人自來皆以德行爲本，文章爲末。自曹丕倡言文章乃「經國之大業，不朽之盛事」（註一），文學價值始爲世人所重。自此以後，文學益受尊崇，而與道德相侔。迨葛稚川出，亦有相似之言論，茲引述如左：

「或曰：『著述雖繁，適可以騁辭耀藻，無補救於得失，未若德行不言之訓，故顏閔爲上，而游夏乃次。四科之格，學本而行末，然則綴文固爲餘事？……』抱朴子答曰：『德行爲有事，優劣易見；文章微妙，其體難識。夫易見者，粗也；難識者，精也。夫唯粗也，故銓衡有定焉；夫唯精也，故品藻難一焉。吾故捨易見之粗，而論難識之精，不亦可乎？』」（註二）一般觀念皆以德行為上，文學為下，殊匪正確之見。夫德行為有事，人皆易見其優劣；以其易見於優劣，故輒為人所重。而易見者較為粗顯，不加論列，亦可見其深淺。文章每多微妙，其體製難於識別；以其難於識別，故易為人所忽視。而難識者類多精妙，非彊加研討，無以見其重要。葛氏於此，雖未明言文章與德行居於同等地位，惟將二者並列討論，其重要相侔，不言而喻！

「或曰：『德行者本也，文章者末也，故四科之序，文不居上。然則著紙者，糟粕之餘事，可傳者，祭畢之芻狗，卑高之格，是可識矣！文之體略，可得聞乎？』抱朴子答曰：『筌可以棄，而魚未獲則不得無筌；文可以廢，而道未行，則不得無文。……且文章之與德行，猶十尺之與一丈，謂之餘事，未之前聞。……且夫本不必皆珍，末不必悉薄。譬若錦繡之因素地，珠玉之居蚌石，雲雨生於膚寸，江河始於咫尺，爾則文章雖為德行之弟，未可呼為餘事也。』」（註三）

自古以來，即有德行為本，文章為末之說。北宋歐陽修送徐無黨南歸序，即美顏回德行之不朽，而輕三代以下著作之難存（註四）；而王安石上人書，亦云「嘗謂文者，禮教治政云爾。其書諸策而傳之人，大體歸然而已。……且所謂文者，務為有補於世而已矣」（註五）。要之，文以適用為主，不必巧且華也。臨川雖捨「德行」而言「禮教治政」「有補於世」，仍不難見其承襲傳統。下逮明人呂坤，則曰：「聖人不作無用文章，其論道則為有德之言。」（註六）趨末不如崇本之意，躍然紙上。葛稚川雖生於永叔臨川新吾三人之前，而能突破古人窠臼，有所建樹，殊堪欽敬。

葛氏治學尚博，其於文論，頗能廓清時人之觀念：一則文章德行，並無本末之分，所不同者，止孔門十哲，德行爲首，而有先後次序；一說四教之中，德雖居其三，而文在先，故二者實應不分彼此。二則文章德行之別，猶十尺之與一丈，並無實質差異。三則文章猶筌，德行猶魚；魚未獲，則不得棄筌；道未行，則文不可廢；此雖比喻不倫，惟可說明二者同等重要，不可偏廢。四則文章與德行，若錦繡之因素地，珠玉之居蚌石，互相依賴，無所軒輊。五則雲雨生於膚寸，江河始於咫尺；德行雖稱兄長，並不表示崇高；文章亦非餘事，更不得視爲芻狗。

葛氏曰：

「德行文學者，君子之本也，莫或無本而能立焉。是以欲致其高，必豐其基；欲茂其末，必深其根。」（註七）

領導社會或掌握政治權力之人物，必須以德行、文學，爲其立身根本。本若不固，必無以自存。因而人欲致其高，必豐厚本身之基礎，如欲繁茂其枝葉，必深植其根。旨哉斯言。

德行文學，關係密切。劉勰曾再加發揮，以爲「文以行立，行以文傳」，而主文德並重，吾人「勵德樹聲」，尤須注意「建言修辭」，果能如是，方爲相得益彰（註八）！夫德行乃人之素養，文學爲人之美飾；無素養者難於振其正氣，非美飾者無以成其所欲。論語雍也篇曰：「質勝文則野，文勝質則史，文質彬彬，然後君子。」觀乎葛洪文德並重之說，得悉其於我國文論，已居於彩曜之境矣！

註一：見文選卷五十二曹丕典論論文。

註二：見抱朴子外篇卷三十二尙博篇，復見卷四十五文行篇。

註三：見抱朴子外篇卷三十二尙博篇暨卷四十五文行篇。

註四：歐陽修全集卷二、居士集二「送徐無黨南歸序」：「若顏回者，在陋巷，曲肱飢臥而已，其群居，則默然終日如愚人；然自當時群弟子皆推尊之，以爲不敢望而及，而後世更百千歲，亦未有能及之者，其不朽而存者，固不待施於事，況於言乎？予讀班固藝文志、唐四庫書目，見其所列，自三代、秦、漢以來著書之士，多者至百餘篇，少者猶三、四十篇，其人不可勝數，而散亡磨滅，百不一、二存焉。……夫言之不可恃也蓋如此。」

註五：見臨川先生文集卷三十三。

註六：見明呂坤呻吟語卷六詞章篇。

註七：見抱朴子外篇卷四十一循本篇。

註八：劉勰文心雕龍宗經篇：「夫文以行立，行以文傳，四教所先，符采相濟。勵德樹聲，莫不師聖；而建言修辭，鮮克宗經。是以楚豔漢侈，流弊不還，正末歸本，不其懿歟！」

第四節　尊崇子書

魏晉之世，儒術式微，清談之風熾，老莊之說行。時人因尊奉老莊，乃崇及子書，蔚爲推重百家言論之風。徐幹著中論一書，曹丕以其「成一家之言，辭義典雅，足傳於後」（註一），乃許以不朽。陸機臨終之時，猶以「所作子書未成」爲歎（註二）。凡此事例，皆足爲當時重子書之證。葛洪受時風之吹襲，以謂「作細碎小文，妨棄功日，未若立一家之言」，因草創子書（註三）。稚川有關子書之見解，多見於百家篇中，茲爲行文之便，逐段列敍於后：

葛氏曰：

「百家之言，雖不皆清翰銳藻，弘麗汪濊，然悉才士所寄心，一夫澄思也。正經爲道義之淵海，子書爲增深之川流；仰而比之，則景星之佐三辰；俯而方之，則林薄之裨嵩嶽。而學者專守一業，游井忽海，遂蹳躓於泥濘之中，而沈滯乎不移之困。」

此段引文，意謂：百家之言，雖非全屬清麗之翰墨，精細之文詞，惟其篇什弘麗、內涵饒富，是皆才士所寄心、一夫所深思之作也。正經乃蓄積道義之淵海，子書爲深邃之河川。吾人仰而比之，彷彿巨星之輔佐日、月；俯而方之，則如草木叢雜之有裨於嵩嶽。一般學者，專攻一端，有如坎井之蛙，難知東海之樂；跳躍於泥濘之中，每常陷溺於不可改易之困境。

細察上引葛氏之文，可知：㈠正經爲道義之淵海，子書爲增深之川流；㈡百家之言，弘麗汪濊，悉皆才士之所寄心，亦爲一夫澄思之力作。此兩說可謂精當之至。

葛氏又曰：

「子書披引玄曠，眇邈泓窈。總不測之源，揚無遺之流。變化不繫於規矩之方圓，旁通不淪於違正之邪徑。風格高嚴，重仞難盡。是偏嗜酸甜者，莫能賞其味也；用思有限者，不得辯其神也。先民歎息於才難，故百世爲隨踵。不以璞不生板桐之嶺，而捐曜夜之寶；不以書不出周孔之門，而廢助教之言。猶彼操水者，器雖異而救火同焉；譬若鍼灸者，術雖殊而攻疾均焉。」

謂：子書所分析、導引者，皆深奧之哲理。其於難測之原委，既作統合之推究；於無遺之流程，復多所稱述。其所涉及之內涵，殊難以規矩定其方圓；所涉及之問題，亦不陷溺於違背正道之旁門。其所成之書，地位聲勢，至爲高嚴，喻之以重仞難盡。是以偏嗜酸甜者，不易得其眞味；非深思熟慮者，亦無以辯說其神髓。如斯傑出之才，先民早有難見之歎，因而百代之間亦不世出也。吾人不應以玉不產於板桐仙山而捐其輝曜黑夜之寶；不可以其書不出於周公孔子之門而棄其有助教化之言。此猶操水施救者，工具雖異，而救火之功則一；亦如以鍼灸攻人之疾者，其術雖殊，治疾之效一也。

詳審上引葛氏之言，可知：一、諸子書所披引者玄曠眇邈，既可總不測之源，亦可揚無遺之流；二、百家言旁涉淵博，不淪於違正之邪徑；變化多端，不繫於規矩之方圓。所析之理，可謂至爲審愼焉。

葛氏曰：

「狹見之徒，區區執一。去博亂精，思而不識。合錙銖可以齊重於山陵，聚百千可以致數於億兆。惑（「惑」字，本作「或」，依孫星衍校本改）詩賦瑣碎之文，而忽子論深美之言。眞僞顚倒，玉石混殽。同廣樂於桑閒，均龍章於素質，可悲可慨，豈一條哉。」

此言：見識狹窄之人，每執一端而洋洋得意。如遠違博知而害其精意，則所論者自亦思而不識。須知集合錙銖之微，其重可與山陵相等；聚合衆千之數，其積可成億兆之巨。豈可爲詩賦瑣碎之文所惑，於諸子深思精美之言而有所疏忽？眞僞不可顚倒，玉石實難混殽。趙簡子鈞天府中所聆之廣樂，不能視同鄭衞桑閒淫靡之音？凡此種種，誠屬可悲可歎！諸子各家，豈可一例視之。

由上引之文，得知二事：一、狹見之徒，區區執一，如遠博而亂精，必思而不識；二、不可惑於詩賦瑣碎之文，而忽乎子論深美之言。此說亦有深意，豈可忽哉！

以前三節所引葛氏文字，復見於尙博篇者又有三段，茲一幷抄錄於左，以供參證。其言曰：

「正經爲道義之淵海，子書爲增深之川流；仰而比之，則景星之佐三辰也；俯而方之，則林薄之裨嵩嶽也。雖津塗殊闢，而進德同歸，雖離於擧趾，而合於興化，故通人總原本以括流末，操綱領而得一致焉，古人歎息於才難，故謂百世爲隨踵。不以璞非崑山而棄耀夜之寶；不以書不出聖而廢助教之言。是以閭陌之拙詩，軍旅之鞫誓，或詞鄙喻陋，簡不盈十，猶見撰錄，亞次典誥，百家之言，與善一揆。譬操水者，器雖異而救火同焉；猶針灸者，術雖殊而攻疾均焉。」

「漢魏以來，羣言彌繁，雖義深於玄淵，辭贍於波濤，施之可以臻徵祥於天上，發嘉瑞於后土，召環雉於大荒之外，安圓堵於函夏之內，近弭禍亂之階，遠垂長世之祉。然時無聖人，目其品藻，故不得騁驊騄之迹於千里之塗，編近世之道於三墳之末也。拘繫之徒，桎梏淺隘之中，挈瓶訓詁之閒，輕奇賤異，謂爲不急。或云小道不足觀，或云廣博亂人思，而不識合錙銖可以齊重於山陵，聚百十可以致數於億兆，羣色會而袞藻麗，衆音雜而韶濩和也。或貴愛詩賦淺近之細文，忽薄深美富博之子書；以磋切之至言爲騃拙，以虛華之小辯爲妍巧。眞僞顚倒，玉石混淆。同廣樂於桑澗，鈞龍章於卉服，悠悠皆然，可歎可慨者也。」

「百家之言，雖有步起，皆出碩儒之思，成才士之手，方之古人，不必悉減也。……其所祖宗也高，其所紬繹也妙；變化不繫滯於規矩之方圓，旁通凝閡於一塗之逼促，是以偏嗜酸鹹者，莫能識其味；用思有限者，不能得其神也。」

此三段文字，與前引百家篇雖較繁複，惟其內容大致略同，爲避免重複之嫌，不再加以解說。

葛洪於內篇卷十明本篇中：

一、首先說明「儒」「道」之性質，其言曰：「道者，儒之本也；儒者，道之末也。」

二、繼之，予陰陽、儒者、墨者、法者以評論，其言曰：「陰陽之術，衆於忌諱，使人拘畏；而儒者博而寡要，勞而少功；墨者儉而難遵，不可偏修；法者嚴而少恩，傷破仁義。」（以上引文，葛氏實抄錄司馬談六家要旨之語）。

三、然後，以爲道家能「包儒、墨之善，總名、法之要」，因而認定「唯道家之教，使人精神專一，動合無形，包儒墨之善，總名法之要，與時遷移，應物變化，指約而易明，事少而功多（以上引文，抄錄六家要旨之語；以下引文，爲葛氏之語），務在全大宗之朴，守眞正之源者也。」

四、其次，復評論班固之以爲史遷「先黃老而後六經，謂遷爲謬」之不當。其言曰：「夫遷之洽聞，旁綜幽隱，沙汰事物之臧否，覈實古人之邪正；其評論也，實源本於自然；其褒貶也，皆準的乎至理。不虛美，不隱惡，不雷同以偶俗。劉向命世通人，謂爲實錄；而班固之所論，未可據也。固誠純儒，不究道意，翫其所習，難以折中。」

五、末後，復於道家中黃老之說，加以論列，其言曰：「夫所謂道，豈唯養生之事而已乎？易曰：立天之道，曰陰與陽；立地之道，曰柔與剛；立人之道，曰仁與義。……凡言道者，上自二儀，下逮萬物，莫不由之。但黃老執其本，儒墨治其末耳。今世之學有道者，蓋博通乎今古，能仰觀俯察，歷變涉微，達興亡之運，明治亂之體，心無所惑，問無不對者，何必修長生之法，慕松喬之式者哉？」

以上所引，皆葛氏泛論諸子，其中除述及陰陽、儒者、墨者、法者四家之外，有類於「一」項，對儒、道之性質，加以比較之論，復見於明本篇後部，及內篇卷七塞難篇中。惟以其與葛氏「文論」關係不多，無須再加引述。其餘「二」至「五」項所論者，亦以其與本文主旨多無相涉，自無討論之必要。

至於有關諸子之個別論述，如：

一、於鈞世、尚博、辭義篇中，評述儒家經典中之「尚書」「詩經」等；於用刑篇，則論及孟子；

二、於省煩、應嘲篇中，評述墨子；

三、於應嘲篇中，評述公孫龍；

四、於用刑篇中，評述老、莊；

五、於喻蔽篇中，評述王充。

雖皆各有所見，惟以類似之理由，難予一一論列。

註一：見文選卷四十二曹丕與朝歌令吳質書。

註二：太平御覽卷六〇二引抱朴子佚文，記陸機於臨終之時，猶嘆「窮通，時也；遭遇，命也。古人貴立言以爲不朽，吾所作子書未成，以此爲恨耳。」

註三．抱朴子外篇卷五十自敍篇：「洪年二十餘，乃計作細碎小文，妨棄功日，未若立一家之言，乃草創子書。」

第五節　文學創作論

兩漢之世，傑出才士莫不循訓詁解經之塗，窮畢生精力，以攻章句之學。此風之形成，與「貴古賤今」、「重遠賤近」之思潮，實有密切關係。孔子有「述而不作，信而好古」之說（註一），影響所及，人人不敢創新發明，事事自覺不如古人。於是社會間守舊成習，學術界一無生氣。王充之文論，除主文貴實用以外，復注重創作，而反對抄襲模擬。其於論衡超奇篇曰：

「孔子得史記以作春秋；及其立義創意，褒貶賞誅，不復因史記者，眇思自出於胸中也。」

此言：孔子因魯史而作春秋，思慮精微，褒貶賞誅，全出諸胸臆，蓋讚其富有創意焉。

論衡自紀篇亦曰：

「飾貌以彊類者失形，調辭以務似者失情。百夫之子，不同父母，殊類而生，不必相似；各以所稟，自為佳好。」

此言：貌各不同，豈可強令相似？調辭遣字，事事模擬者，必失其實；稟賦各異，何必定求相襲？迨至西晉，陸機之出，其文論與王充或有相似，更具系統。其言曰：

「收百世之闕文，採千載之遺韻；謝朝華於已披，啓夕秀於未振。……雖杼柚於予懷，怵他人之我先；苟傷廉而愆義，亦雖愛而必捐。」（註二）

此言：為文貴有創義，不宜勦襲陳言。古人已用之意，謝而去之；古人未述之旨，開而用之。雖文由己出，恐人比我先；或取鎔經意，須自鑄偉辭。

葛洪承接二人之思想，於文學創作方面，亦有所發揮。茲列其重點，分別說明如后：

一、文貴獨創，不尚摹倣

葛洪曰：

「義以罕覯為異，辭以不常為美。」（註三）

為文立意罕見者，人必驚異；修辭超乎凡俗者，斯可稱美。歷來屬文之士，多以肖古為榮，而葛氏則主文貴獨創，不尚模倣。此實擴大王充「飾貌以彊類者失形，調辭以務似者失情」、陸機「謝朝華於已披，啓夕秀於未振。……雖杼軸於予懷，怵他人之我先」，誠發古人之所未發，言前賢之所未言者也。

二、創新爲重，毋隨世好

葛洪曰：

「郢人美下里之淫聲，而薄六莖之和音；庸夫好悅耳之華譽，而惡利行之良規；故宋玉舍其延靈之精聲，智士招其獨見之遠謀。」（註四）

此言：楚都郢邑之人，喜下里巴人俚俗猥褻之歌曲，而輕古帝顓頊六莖樂章之齊唱；凡夫俗子好悅耳之美譽，而惡有益言行之勸戒；是以詩人宋玉，捨棄迎神之歌謠；才智之士，應揭示深遠之創見；凡此諸語，意在：吾人寫作文辭，不能迎合俗之所好，應力事表達其創獲之見。

三、文貴繁富，辭不宜寡

葛洪曰：

「文貴豐贍，何必稱善如一口乎？」（註五）

意謂：凡爲文辭，自以豐贍爲貴；惟文各異類，如欲稱美，豈能限於一辭，止於一口，而莫加細辨？

又曰：

「言少則至理不備，辭寡卽庶事不暢，是以必須篇累卷積而綱領舉也。」（註六）

此言：析事辭寡，其理不清；說理富贍，庶事必暢；不爲世用者，一章無補；足爲世法者，百篇無害；如皆可用，則多者爲上，少者爲下。若能綱挈領舉，理明條分，雖連篇累牘，當亦不嫌其煩瑣也。

上列二項引文，皆主爲文務須豐贍，不宜鮮寡；此與王充論衡自紀篇所云「文多勝寡」、「事衆，文不得褊」者（註七），如出一轍。

四、繁複事理，必配巨構

葛洪曰：

「止波之修鱗，不出窮谷之隘；鸞棲之峻木，不秀培塿之卑；九疇之格言，不吐庸猥之口；金版之高算，不出恆民之懷；覩百抱之枝，則足以知其本之不細，覩汪濊之文，則足以覺其人之淵邃。」（註八）

此謂：修長之蛟龍，能止息波濤者，必不存乎幽谷隘狹之處；高大之樹木，有鸞鳳棲止者，絕難生於山丘卑下之所；九項不易法則，聖人用以治天下者，絕難出於凡人鄙夫之口；密櫝所藏祕籍，可資精計與妙算者，並不出於常人之胸臆。觀乎百人拱抱之枝，可知其根其本必不纖細；審乎深廣饒富之文，當見其人其才如淵之深。

葛氏所設「修鱗」、「峻木」、「九疇之格言」、「金版之高算」諸喻，皆所以說明：爲文辭者，如所敘之事，所狀之物，所明之理，繁複、宏大、而又深邃者，必難以短促之章、纖細之篇，精悍之聯盡其事。觀乎洋洋之文，皇皇之構，灑灑之篇，其所揭示者，必爲繁雜之事、壯觀之景、玄妙之理。

五、才有修短，思分精粗

葛洪曰：

「夫梓豫山積，非班匠不能成機巧；衆書無限，非英才不能收膏腴。何必尋木千里，乃構大厦；鬼神之言，乃著篇章乎？」（註九）

此言：寫作素材，俯拾皆是，非有輸般之巧，英士之才，無以成其佳構。同一文士，每因才情高低、運思巧拙，其作品亦有高下清濁之分。素材隨處皆是，不必尋木千里，亦可成其大厦；無須聽信鬼神之言，始能著成篇章。

又曰：

「夫才有清濁，思有修短；雖並屬文，參差萬品。或浩瀁而不淵潭，或得事情而辭鈍；違物理而文工（藏本作「言功」，今從舊寫本），蓋偏長之一致，非兼通之才也。闇於自料，強欲兼之，違才易務，故不免嗤也。」（註十）

此言：文學創作，主於才情。因才有清濁，雖並屬文，所產生之作品，亦「參差萬品」，各有優劣。「兼通之才」，最爲難得，如不顧才質而強事追求，將不免受人嗤笑。

又曰：

「清濁參差，所稟有主；朗昧不同科，強弱各殊氣；而俗士唯見能染毫畫紙者，便概之一例。」（註十一）

此言：才有清濁，稟各有主；氣有強弱，朗昧分明；文士綴詞，畫工繪景，成就之高低，端視才情與氣質而定，豈能一例視之。葛氏之所謂「氣」者，氣質也，實與「才」字同義，吾人須加注意焉。

又曰：「或曰：『乾坤方圓，非規矩之功；三辰摛景，非瑩磨之力。春華粲煥，非漸染之采；茝蕙芬馥，非容氣所假。知夫至眞，貴乎天然也。……而歷觀古今屬文之家，尟能挺逸麗於毫端，多斟酌於前言，何也？』抱朴子曰：『清音貴於雅韻克諧，著作珍乎判微析理，故八音形器異而鍾律同，黼黻文物殊而五色均。徒閑澀有主賓，妍媸有步驟，是則總章無常曲，大庖無定味。』」（註十二）

葛氏認爲：文章體製雖多，而寫作原理則一。作品之巧拙精粗，決定於才情高低有無。文學創作，非運用巧思，無以成其佳構。雅韻和諧，方爲清音；判微析理，始成佳篇。須知樂器雖殊，所發之音律相同；文物相異，表現之色彩則一。爲大樂官者，當能協律成韻；成名廚者，調味必無定法。要之，文思運用之巧，非凡夫所得而優爲，唯是具有才情者能之。徒然講求閑澀主賓、妍媸步驟，而不著力於文章主題，其亦難於成其鴻篇傑構也。

又曰：

「崇峻不凌霄，則無彌天之雲；財不豐，則其惠也不博；才不遠，則其辭也不贍。故覩盈丈之牙，則知其不出徑寸之口；見百尋之枝，則知其不附毫末之木。」（註十三）

此言：人之財富，如不豐厚，於他人難作廣博之惠；士之才識，如不高遠，爲文定無贍富之篇；徑寸之口，難容盈丈之牙；毫末之木，絕無百尋之枝；凡諸譬喻，皆以說明：天才之於創作，關係至爲密切，無庸置疑也！

才分清濁，文有高低，觀賞作者篇什，自可知其人天才之所在。葛洪以爲作者才識，各有偏至，若欲強其兼擅並茂，必至一無成就，而貽笑於大方。此項見地，蓋受曹丕文氣論之啓發者也。曹丕典論論文有「引氣不齊」、「氣之清濁有體」、「孔融體氣高妙」云云，凡此諸語之所謂「氣」也者，蓋指天賦之情致與資質而言。魏文以爲氣「不可力彊而致」，「雖在父兄，不能以移子弟」，因創文學制作本於作者才情之說。其後，葛洪主「才有清濁」（註十四），氣有強弱，染毫於畫紙者，唯俗士始以一例視之（註十五），此當與曹氏所謂「氣之清濁有體」者，有所淵源焉。古代典籍，雖足供後人取材，要須秉賦英才，始克收其膏腴。文士如才思短弱，則難於擷其菁華，棄其糟粕。葛洪於此，深感文學創作，非富才情，不能有所創獲也。稍後，劉勰出，於文心雕龍體性、定勢、神思、才略等篇，亦多持相似意見，或亦葛洪影響後世文論之一端也歟？

六、盡其才力，多事推敲

葛洪曰：

「積萬金於篋匱，雖儉乏而不用，則未知其有異於貧窶；懷逸藻於胸心，不寄意於翰素，則未知其有別於庸猥。」（註十六）

此言：櫝藏萬金之財富，遇有需要時，如不知加以利用，其與貧乏之士何異？胸懷超逸之文藻，如不從事於著述，其與凡人俗子何殊？葛氏之意，凡爲文辭者，皆須盡其才，竭其力，多事斟酌，再作推敲，非苦吟深慮，無以成其佳構，否則，徒有非凡之才，而與平庸之士，有何不同？

七、選用素材，必去瑕疵

葛洪曰：

「瓊琨山積，不能無挾瑕之器；鄧林千里，不能無偏枯之木，論珍則不可以細疵棄其（「其」字，本作「巨」，依百子全書本改）美，語大則不可以少累廢其多故。」（註十七）

此言：如無挑摘瑕疵之器，雖玉石山積，不能選用其材；夸父投杖成林，雖千里之廣，難免偏枯之木。評估珍器，不因細疵而棄其華美；長篇大論之作，豈能因減少勞累，而置巧僞之言於不顧。葛氏此項主張，固爲選材之依據，實亦鑑賞之標準。

八、文貴剪裁，不尚拖沓

葛洪曰：

「屬筆之家，亦各有病：其深者則患乎譬煩言冗，申誡廣喻，欲棄而惜，不覺成煩也；其淺者則患乎妍而無據，證援不給，皮膚鮮澤，而骨鯁迴弱也。」（註十八）

此言：吾人屬筆爲文，各有其蔽：深者，病在譬言繁瑣，言詞冗雜；惟其欲多作申言戒語，設喻廣博，雖擬刪減剪裁，終覺棄之可惜，不忍割愛，於是不免拖沓蕪贅。淺者，患在文詞妍美，用語無據，例證貧乏，徒有文辭鮮澤之貌，而無內容堅強之實也。吾人作文，豈可不愼哉！葛氏此說，爲創作之準繩，實亦鑑賞之依據也。

九、文應自然，駢散雜廁

駢儷文體乃漢以後逐漸形成之風尚。西漢司馬相如、揚雄、賈誼等人作品，每有平行句法，東漢班固、蔡邕等人文辭，亦多求句法之整齊，當時此類現象，僅爲適合修詞之需要，尙未形成固定形式，止可視爲駢文之先河，不可稱爲文體。明人王志堅輯四六法海，其於序中，以爲駢體文至魏晉時代始漸形成。降至南北朝，方入於全盛時代，而成爲文章之正宗。

葛氏生於西晉末年。琅邪王南渡，建東晉時，年已三十五。稚川之文辭及其文學思想，自亦深受時風之影響。本章一節，論「今勝於古」，曾指稱尙書、詩經等作之爲古，而以漢代以降所逐漸形成之「賦體」、「駢文」或「辭賦化」之時文爲今。葛氏於鈞世篇中，以爲「㕑錦麗而且堅，未可謂之減於蓑衣；輜軿妍而又牢，未可謂之不及椎車」。「㕑錦麗且堅」，「輜軿妍又牢」，以喻文章之必求華麗雕飾也。茲姑以抱朴子外篇卷三十鈞世篇爲例，說明葛氏崇尙偶儷之情形於后。

就鈞世篇而言，「偶儷」與「散句」相雜運用，屬於標準駢文文體。鈞世篇「散句」與「偶儷」部分，約略成四、五之比。葛氏素主「文貴繁富」，以爲「繁複事理，必配巨構」，如於散句之中摻雜「偶儷」之句，必可收潤飾之效。「文貴創新」，大量利用「偶句」，自爲無可避免之趨勢。東晉初年，駢文尙未臻成熟階段，吾人分析本篇文句，當可證實此一論斷。

茲爲行文之便，將鈞世篇中之「偶句」抄錄如左：

(一)「以此易見，比彼難曉。」

(二)「溝澮之方江河，螘垤之並嵩岱。」

(三)「古人所作爲神，今世所著爲淺。」

(四)「舟車之代步涉，文墨之改結繩。」

(五)「新劍以詐刻加價，弊方以僞題見寶。」

——以上爲「單句相對」之所謂「偶句」——

(六)「論管穴者，不可問以九陔之無外；
習拘閡者，不可督以拔萃之獨見。」

(七)「水不發崑山，則不能揚洪流以東漸；
書不出英俊，則不能備致遠之弘韻。」

(八)「古書雖質樸，而俗儒謂之墮於天也；
今文雖金玉，而常人同之於瓦礫也。」

(九)「罽錦麗而且堅，未可謂之減於蓑衣；
輜軿妍而又牢，未可謂之不及椎車。」

——以上爲「複句相對」之所謂「排句」——

(十)「俱論宮室，而奚斯路寢之頌，何如王生之賦靈光乎？

同說遊獵，而叔畋盧鈴之詩，何如相如之言上林乎？」

(十一)「並美祭祀，而淸廟雲漢之辭，何如郭氏南郊之艷乎？

等稱征伐，而出車六月之作，何如陳琳武軍之壯乎？」

(十二)「方之於士，並有德行，而一人偏長藝文，不可謂（）一例也；

比之於女，俱體國色，而一人獨閑百伎，不可混爲無異也。」

(十三)「尙書者，政事之集也，然未若近代之優文、詔策、軍書、奏議之淸富贍麗也；

毛詩者，華彩之辭也，然不及（　）上林、羽獵、二京、三都之汪濊博富也。」

(十四)「東甌之木，長洲之林，梓豫（）雖多，而未可謂之爲大廈之壯觀，華屋之弘麗也；

雲夢之澤，孟諸之藪，魚肉之（註十九）雖饒，而未可謂之爲煎熬之盛膳，渝狄之嘉味也。」

——以上爲「多句排比」之所謂「長偶句」——

成熟之駢體文，一般必須注意句法結構之對稱。所謂對稱也者，係指辭語之相互配對。其規則爲：名詞與名詞相對；動詞與動詞相對；狀詞與狀詞相對；連詞、介詞與連詞、介詞相對。而上下聯之字數，尤須相等。惟句首、句尾之虛字，以及句首上下聯共有之辭語，常不包括在內。尤有進者，後世之駢文，不以句法詞性相對爲滿足，並須力求述事相類，而所謂述事相類者，亦卽「以相近之概念用爲對仗」之意也。如(十三)，上聯曰「尙書者，政事之集也」，下聯曰「毛詩者，華彩之辭也」卽是。以此準則衡之，葛氏鈞世篇中，上下聯完全相協者，止(三)「古人所作爲神」與「今世所著爲淺」；(二)

「溝澮之方江河」與「蝗垤之並嵩岱」；㈤「新劍以詐刻加價」與「弊方以僞題見寶」；㈨「罽錦麗而且堅，未可謂之減於蓑衣」與「輜軿妍而又牢，未可謂之不及椎車」四句。其餘㈠之「以此」與「比彼」；㈣之「舟車……步涉」與「文墨……結繩」；㈥之「九陔之無外」與「拔萃之獨見」；㈦之「崑山……揚洪流以東漸」與「英俊……備致遠之弘韻」；㈧之「質樸……墮於天也」與「金玉……於瓦礫也」；㈩之「路寢之頌」與「盧鈴之詩」；(十一)之「郭氏」與「陳琳」；(十二)之「謂一例也」與「混爲無異也」；(十三)之「然未若近代之優文、詔策、軍書、奏議之清富贍麗也」與「然不及上林、羽獵、二京、三都之汪濊博富也」；(十四)之「梓豫雖多……爲大廈之壯觀，華屋之弘麗也」與「魚肉之雖饒……爲煎熬之盛膳，渝狄之嘉味也」，均不相協。

駢文之第二特性爲平仄相對。依此而言，葛氏之文，與此殊不相協。如㈠，上聯爲「仄仄仄仄」，下聯爲「仄仄平仄」；㈥上聯爲「仄仄仄仄，仄仄仄仄仄平平平仄」，下聯爲「仄平仄仄，仄仄仄仄仄仄平仄仄」。此與梁以後之重平仄者相去甚遠。

駢文之第三特性爲用典。用典之旨，在增加文辭之華麗，然鈞世篇中，除㈥、㈩、(十一)、(十四)以外，其餘偶儷之句均未用典。蓋亦「言文一致，易曉爲尙」之意也歟？

葛氏既以「偶儷」「散句」相雜之駢文爲「今」，而又以爲「今勝於古」，其意或以「散句」可以舒緩文氣，得從容之美；而「偶儷」可使文詞贍富，收氣勢強勁之效。兩者配合運用，當爲修詞之至上準則。

十、言文一致，易曉爲尙

葛洪曰：

「書猶言也，若入談語，故爲知音（「音」字，本作「有」，依孫星衍校改）。胡越之接，終不相解；以此敎戒，人豈知之哉？若言以易曉爲辨，則書何故以難知爲好哉？」（註二十）

意謂：爲文有若談語，聽者曉喻，方爲知音。胡言越語，難於交談；以之敎戒，勢必毫無功效。言語既以易曉爲尙，著書何須故事艱深？

又曰：

「夫發口爲言，著紙爲書。書者，所以代言；言者，所以書事。」（註二十一）

意謂：言發諸口，書著諸紙；言以書事，書以代言。是猶今人所謂：文字語言皆爲工具，要在「我手寫我口」、「我口表我心」也。

又曰：

「且古書之多隱，未必昔人故欲難曉，或世異語變，或方言不同，經荒歷亂。」（註二十二）

此言：古書隱而難曉，其故有三：世變語異，一也；方言不同，二也；經荒歷亂，三也。此段文字，本章一節已予引用，不再加以論列。於此，應予注意者止爲：言語文字，關係密切；文學作品，代各不同；吾人爲文，豈可東施效顰，力事摹擬，而不作創新？

王充著論衡，嘗自陳其寫作態度，云：「口則務在明言，筆則務在露文」、「夫筆著者，欲其易曉而難爲，不貴難知而易造；口論務解分而可聽，不務深迂而難睹」，旨在說明：爲文，務求語文同趣，不在深迂難知。王氏又云：「文由（猶）語也」、「文字與言同趨」、「經傳之文，賢聖之語，古今言殊，四方談異也」、「當言事時，非務難知，使指閉隱也。後人不曉，世相離遠，此名曰『語異』，不名曰『材鴻』」（註二十三）。凡此，或即葛氏解析古書難曉之因——「世變語異」「方言不同」之所本歟！

十一、文自有價，不趨時俗

葛洪曰：

「音爲知者珍，書爲識者傳。瞽曠之調鐘，未必求解於同世；格言高文，豈患莫賞而減之哉！且夫江海之穢物，不可勝計，而不損其深也；五嶽之曲木，不可訾量，而無虧其峻也。」（註二十四）

是謂：樂音爲知者所珍視；文辭爲識者所傳布。師曠調樂鐘，不求適於世間俗人之好；格言與佳作，無患人或莫賞而貶其價。漂浮之穢物多不可數，不虧於江海之爲深；山林之曲木難予量計，無損於五嶽之爲峻。

葛氏之意，文學辭章，各有其價值標準在。不因世俗之好惡，而有所增損。凡爲傳世之作，無須趨附世俗之風尚。譬如江海，穢物漂浮，而不損其爲深也；傑出之篇，何患乏人欣賞？彷彿五嶽，曲木叢生，而不虧其爲峻也。

註　一：見論語述而篇。

註　二：見文選卷十七文賦。

註　三：見抱朴子外篇卷四十辭義篇。

註　四：見抱朴子外篇卷三十八博喻篇。「招」，音ㄑㄧㄠˊ，揭舉以示人也。集韻下平聲四宵韻，作「祁堯切」，云「舉也；漢書『以招人過』」。國語周語下：「好盡言，以招人過。」韋昭注：「招，舉也。」漢書陳勝項籍傳贊：「招八州而朝同列。」鄧展曰：「招，舉也。」蘇林曰：「招音翹。」莊子駢拇：「自虞氏招仁義以撓天下，天下莫不奔命於仁義。」是「招」字，均「揭舉以示人」之意。

註　五：見抱朴子外篇卷四十辭義篇。

註　六：見抱朴子外篇卷四十三喻蔽篇。

註　七：王充論衡卷三十自紀篇：「累積千金，比於一百，孰爲富者？蓋文多勝寡，財寡愈貧。世無一卷，吾有百篇；人無一字，吾有萬言；孰者爲賢？……夫宅舍多，土地不得小；戶口衆，簿籍不得少。……夫形大，衣不得褊；事衆，文不得褊。事衆文饒，水大魚多。」

註　八：見抱朴子外篇卷三十八博喻篇。

註　九：見抱朴子外篇卷四十辭義篇。

註　十：見抱朴子外篇卷四十辭義篇。

註十一：見抱朴子外篇卷三十二尙博篇。

註十二：見抱朴子外篇卷四十辭義篇。

註十三：見抱朴子外篇卷三十九廣譬篇。

註十四：見抱朴子外篇卷四十辭義篇。

註十五：見抱朴子外篇卷三十二尙博篇。

註十六：見抱朴子外篇卷三十八博喻篇。

註十七：見抱朴子外篇卷三十八博喻篇。

註十八：見抱朴子外篇卷四十辭義篇。
註十九：孫星衍校本原註「下脫四字」，應予取消；並於上聯「豫」字下加註「增『之』字」較妥。
註二十：見抱朴子外篇卷三十鈞世篇。
註二十一：見抱朴子外篇卷四十三喻蔽篇。
註二十二：見抱朴子外篇卷三十鈞世篇。
註二十三：以上引文均見王充論衡卷三十自紀篇。
註二十四：見抱朴子外篇卷四十三喻蔽篇。

第六節　文學鑒賞論

吾人構思爲文，無非表達情意。文而不加修飾，求其信達雅致，勢難傳之久遠。事乏充足依據，何以服衆人之心？若夫觀賞文字，有如風鑒人物，品嘗飲食，每因立場各別，對象不同，口味有異，而多所變化。曹植嘗云：「人各有好尚：蘭茝蓀蕙之芳，衆人所好，而海畔有逐臭之夫；咸池、六莖之發，衆人所共樂，而墨翟有非之之論：豈可同哉！」（註一）或卽此之謂歟！狀物有姸媸，言事有美惡，說理必有淸濁，文學之鑒賞於是生焉。

一、鑒賞有標準，不可全憑己意爲斷

葛洪曰：

「五味舛而並甘，衆色乖而皆麗。近人之情，愛同憎異；貴乎合己，賤於殊途。夫文章之體，尤

難詳賞；苟以入耳爲佳，適心爲快，尟知忘味之九成，雅頌之風流也。所謂考鹽梅之鹹酸，不知大羹之不致；明飄飆之細巧，蔽於沉深之弘邃也。」（註二）

五味雖各不同，皆可調成美味；衆色雖各相異，皆能繪爲佳景。人之有愛有憎，物之或貴或賤，常憑能否合乎己意，適於己心爲斷。合於己意則愛，異乎我心則憎。至於文章體製，因風格各殊，意境互異，辭藻之應用，亦各不相類似，至於鑒賞文辭，尤爲困難。若全以「入於己耳」、「適乎我心」爲其品評標準，勢將無法體會九成之樂、與雅頌之詩。如依主觀愛憎，以嗜梅酸鹽鹹，勢必無法品出盛饌、大羹之眞味。因而吾人評論文辭，欣賞音樂，非另有客觀標準，無以知其深遠弘邃之意，飄飆細巧之美！

二、鑒賞重整體，毋以偏失掩其全貌

葛洪曰：

「夏君之璜，雖有分毫之瑕，暉曜符彩，足相補也。數千萬言，雖有不豔之辭，事義高遠，足相掩也。」（註三）

夏君美玉，雖稍有瑕疵，以其輝曜光彩，亦可補其失也。長篇巨製，雖偶具媸詞，如能含義深遠，亦足掩其玷也。葛氏之意，文辭之鑒賞，應以整體爲重，豈可以一眚而掩其大成。

三、觀文如觀林，勿斤斤於一枝之枯

葛洪曰：

「能言莫不褒堯，而堯政不必皆得也；舉世莫不貶桀，而桀事不必盡失也。故一條之枯，不損繁林之蓊藹。蒿麥多生，無解畢發之肅殺。西施有所惡而不能減其美者，美多也；嫫母有所善而不能救其醜者，醜篤也。」（註四）

此言：堯雖聖賢，未必盡善盡美；桀稱暴君，亦非一無是處。繁盛之林，不因一枝枯萎而減損其爲葱蘢茂密；風寒之摧殺，不以蒿麥多生而稍解其嚴酷之威。越之美女西施，雖稍有瑕疵，所以不減其美者，因其美多之故；黃帝之醜妃嫫母，雖或亦有佳處，但無補於其醜者，以其醜多也。

又曰：

「世謂王充，一代英偉。所著文，時有小疵，猶鄧林枯枝、滄海流芥，未易貶者。」（註五）

此言：世人多謂王充爲一代英偉之才。其所著之文，時有小疵，此猶鄧林千里，非無偏枯之木；滄海萬頃，偶有草芥飄浮；未可遽加貶抑。

由上列二段引文，得知葛氏之意，實爲鑒賞篇什有如觀賞森林與大海，必須注意整體之美，不可斤斤於一枝之枯、一芥之浮也。

四、誠敬以評鑒，不可存成見憑衆說

葛洪曰：

「世有雷同之譽而未必賢也，俗有讙譁之毀而未必惡也，是以迎而許之者，未若鑒其事而試其用，逆而距之者，未若聽其言而課其實。」（註六）

此言：人稱良善者，難於斷言其爲賢聖；衆加呼噪詆毀者，未可證實其爲有罪。是以與人相處，不可遽加抗拒，必先細聽其言，詳考其實。

葛氏於此，所言者雖止爲處人之道，然用之於文學欣賞，似亦無不可。蓋文章之評斷，不能全憑衆說，心懷成見。文辭之鑒賞，勢必細察作品，務得其實，始可斷其爲妍爲媸。

葛氏又曰：

「若夫馳騁於詩論之中，周旋於傳記之間，而以常情覽巨異，以褊量測無涯，以至粗求至精，以甚淺揣甚深，雖始自髫齔，訖於振素，猶不得也。夫賞其快者，必譽之以好；而不得曉者，必毀之以惡，自然之理也。於是以其所不解者爲虛誕，慺（原注：「力候切，敬也。」）誠以爲爾，未必爲（「爲」字，本作「違」，依百子全書本改）情以傷物也。」（註七）

吾人欣賞詩篇，研讀史傳，若據世俗之見，以觀其巨變；依偏狹之心，以測其無涯；以粗疏之力，求精細之理；以淺近之識，揣深遠之事；縱自孩提以至老死，用功不輟，亦難底於成也。吾人品味辭章，有快然之感者，必加稱美；不曉其義者，必毀之爲劣作，此皆自然之理也。是以於詩史之作，自身如難解其眞義，必以爲虛僞荒誕之篇；內心眞誠崇敬，對之當絕無傷害之意。此言品評文史，除以有無快感爲標準之外，於深切研究作品之時，尤須具有誠敬之心，並毫無毀傷之意。非如是，不足以窺其全貌，得其神髓。

五、文辭之品評，對象各異好惡不同

葛洪曰：

「觀聽殊好，愛憎難同，飛鳥覩西施而驚逝，魚鼈聞九韶而深沈。」（註八）

此言：美人西施，雖舉世無雙，然林鳥見之，或將起而驚飛。九韶樂章，雖繞樑不絕，然魚鼈聞之，每常深沈水底。葛氏以此爲喻，說明品評文辭，常緣對象、立場不同，而好惡難趨一致也。

六、文辭之愛憎，因時而變難期苟同

葛洪曰：

「且夫愛憎好惡，古今不鈞，時移俗易，物同賈（價）異。譬之夏后之璜，曩直連城，鬻之於今，賤於銅鐵。」（註九）

此言：古之名玉，雖價值連城，棄之於市，如不遇識者，必遭賤視，有若銅鐵。葛氏之意：人世之間，物雖同而價有異者，自古皆然。蓋時移俗易、今昔異趣、愛憎標準不同使之然也。以此事實，比之文學品評，不難發現個人之愛憎、與社會之價值觀念，自亦不免受時代影響，難於一成不變也。

註一：見文選卷四十二曹植與楊德祖書。

註二：見抱朴子外篇卷四十辭義篇。

註三：見抱朴子外篇卷四十三喻蔽篇。

註四：見抱朴子外篇卷三十八博喻篇。「畢發」二字，承訓本、百子全書本均作「觱（音畢）發」。詩豳風七月：

「一之日觱發。」毛傳：「觱發，風寒也。」

註五：見太平御覽卷五百九十九所引抱朴子佚文。

註六：見抱朴子外篇卷三十九廣譬篇。

註七：見抱朴子外篇卷三十二尚博篇。

註八：見抱朴子外篇卷三十九廣譬篇。

註九：見抱朴子外篇卷十八擢才篇。

第二章　葛洪之年譜

晉武帝太康四年癸卯（西元二八三年）　一歲

葛洪生。

△太平御覽卷三二八引抱朴子佚文：「抱朴子曰：『晉太康（據抱朴子自敍篇及晉書葛洪傳，「太康」當係「太安」之誤）二年，京邑始亂，三國舉兵攻長沙王乂（「乂」字原作「人」，誤），小民張昌反於荆州，奉劉尼爲漢主，乃遣石冰擊定揚州，屯於建業。宋道衡說冰，求爲丹陽太守。到郡，發兵以攻冰。召余爲將兵都尉（「將兵都尉」，本作「貯兵都尉」，今依抱朴子自敍篇及晉書本傳改），余年二十一。』」

按：張昌反，在晉惠帝太安二年（西元三〇三年），是年葛洪二十一歲。以此推算，葛氏當生於太康四年。

△晉書卷七十二葛洪傳：「太安中，石冰作亂，吳興太守顧祕爲義軍都督，與周玘等起兵討之。祕檄洪爲將兵都尉，攻冰別率，破之，遷伏波將軍。」

按：「別率」者，別將也。

△抱朴子外篇卷五十自敍篇：「昔太安中，石冰作亂。……義軍大都督邀洪爲將兵都尉，……曾攻賊之別將。……以救諸軍之大崩，洪有力焉。……於是大都督加洪伏波將軍。」

按：由此得知：太安中，葛洪曾受命爲將兵都尉，前往平賊；事後並受封伏波將軍，確爲信史。

△抱朴子外篇卷三十四吳失篇：「余生於晉世，所不見，余師鄭君具所親悉，每誨之云。」

△抱朴子外篇卷五十自敍篇：「今齒近不惑，素志衰頹。……洪年二十餘，……會遇兵亂，流離播越。……連在道路，不復投筆十餘年。至建武中，乃定：凡著內篇二十卷，外篇五十卷。……洪旣著自敍之篇，或人難曰：『昔王充年在耳順，道窮望絕，懼身名之偕滅，故自紀終篇。先生以始立之盛，値乎有道之運，……何憾芬芳之不揚，而務老生之彼務？』」

按：據吳失篇，葛洪「生於晉世」，應無疑義。此與前據太平御覽所引抱朴子佚文推算葛洪生於太康四年（吳孫皓降晉後三年），亦無不合。復依自敍篇「洪年二十餘，……會遇兵亂，流離播越」云云，與前據太平御覽所引抱朴子佚文稱葛洪受命平賊時「年二十一」，亦甚相符。又據自敍篇，「抱朴子」成於「建武」中。「建武」，乃東晉元帝年號，建號僅一年。依葛洪生於太康四年推算，建武元年，卽葛洪三十五歲之時，此正與自敍篇所謂「齒近『不惑』」及「『始立』之盛」者，亦若相契合矣！

△抱朴子外篇卷十五審擧篇：「昔吳士初附，其貢士見偃以不試。今太平已近四十年矣，猶復不

試，所以使東南儒業衰於在昔也。」

按：吳主孫皓於晉武帝太康元年（西元二八〇年）夏四月降晉，至葛洪抱朴子成書（晉元帝建武元年，西元三一七年），相距三十七年，此與「今太平已近四十年矣」，亦相符合。

據上述引文，葛洪生於太康四年，當屬無誤。

十二月，吳主孫皓崩。

山濤卒，享年七十九。

嵇含二十一歲。

△晉書卷八十九嵇含傳：「廣州刺史王毅病卒，弘（即鎭南將軍劉弘）表含爲平越中郎將、廣州刺史、假節。未發，會弘卒，時或欲留含領荆州。含性剛躁，素與弘司馬郭勱有隙，勱疑含將爲己害，夜掩殺之，時年四十四。」

按：鎭南將軍劉弘卒於晉惠帝光熙元年丙寅（西元三〇六年），含於是年遇害。上推四十四年，得知含生於魏元帝景元四年癸未（西元二六三年）。是以嵇含此時當爲二十一歲。

晉武帝太康五年甲辰（西元二八四年）　二歲

杜預卒，享年六十三。

晉武帝太康六年乙巳（西元二八五年）　三歲

冬，十二月，庚子，襄陽武侯王濬卒。

晉武帝太康七年丙午（西元二八六年）　四歲

月氏僧竺法護來中土，譯法華經等二百一十部。

晉武帝太康八年丁未（西元二八七年）　五歲

晉武帝太康九年戊申（西元二八八年）　六歲

溫嶠生。

晉武帝太康十年己酉（西元二八九年）　七歲

庾亮生。

冬，十一月，始平王司馬瑋被封爲楚王、都荊州諸軍事。

晉武帝太熙元年（四月惠帝卽位改元永熙元年）庚戌（西元二九〇年）　八歲

葛洪體性駑鈍，寡所玩好，擲瓦手摶，不似童群。

△抱朴子外篇卷五十自敍篇：「洪體鈍性駑，寡所玩好。自總髮垂髫（下有脫句）。又擲瓦、手摶，不及兒童之群。」

按：查「總髮」與「總角」同，言幼年男女，於頭頂前部、兩側，結角形之髮辮也。後因用以喻童年。「垂髫」猶言「垂髫」、「垂髮」，亦謂童子也。宋王明清揮麈錄揮麈餘話卷一：

「朕時年八歲垂髫。」

夏四月己酉，武帝崩，太子卽位（惠帝），改元永熙。

楚王司馬瑋辟嵇含爲掾。時嵇含二十八歲。

晉惠帝元康元年辛亥（西元二九一年）　九歲

春，正月乙酉，改元永平。

三月壬辰，改元元康。

六月乙丑，楚王司馬瑋伏誅，嵇含坐免。嵇含舉秀才，除郎中，時年二十九歲。

賈謐官侍中，以外戚得寵，權勢始盛，時有二十四友依附，二陸、石崇、潘岳、王粹、左思、劉琨、杜斌等皆與焉。

晉惠帝元康二年壬子（西元二九二年）　十歲

鮑靚受石室三皇文。

△雲笈七籤卷四「三皇經說」：「至于晉武皇帝時，有晉陵鮑靚，官至南海太守。少好仙道，以晉元康二年二月二日登嵩高山，入石室清齋，忽見古三皇文，皆刻石爲字爾。時未有師，靚乃依法以四百尺絹爲信，自盟而受。」

△雲笈七籤卷六：「鮑靚於晉惠帝永康中，於嵩山劉君石室清齋思道，忽有刻石三皇文出於石壁，靚以絹四百尺告玄而受。」

按：鮑靚所發現者，係藏於「石室清齋」「刻石爲字」之古三皇文，自與葛洪「十五歲」時，由鄭隱所授之「三皇文」（又稱「三皇內文」）有異。

晉惠帝元康三年癸丑（西元二九三年）　十一歲

晉惠帝元康四年甲寅（西元二九四年）　十二歲

晉惠帝元康五年乙卯（西元二九五年）　十三歲

父悌，入晉後爲邵陵（今湖南省邵陽縣）太守，是年卒於官。洪乃日漸饑困，不得已而躬耕執稼。

△抱朴子外篇卷五十自敍篇：「洪父……舉善彈枉，軍國肅雍，遷邵陵太守，卒於官。……洪者，君之第三子也。……年十有三，而慈父見背，夙失庭訓。飢寒困瘁，躬執耕穡，承星履草，密勿疇襲。」

△晉書卷七十二葛洪傳：「父悌，吳平後入晉，爲邵陵太守。」

嵇含三十三歲。在此年前後，齊王司馬冏辟之爲征西參軍，襲爵武昌鄉侯。

△晉書卷八十九嵇含傳：「齊王冏辟爲征西參軍，襲爵武昌鄉侯。」

晉惠帝元康六年丙辰（西元二九六年）　十四歲

葛洪少年時期，寡欲木訥，未嘗交遊；亦不知棊局、摴蒱，於是發憤讀書。復因其家累遭兵火，先人典籍蕩盡，而又困於無力，不能更得，乃負笈徒步行借。且躬自伐薪，以貿紙筆。夜輒抄撮衆書，用功雖少而獲益良多，思慮不煩而見識廣博，欲以「文儒」爲志。惟常乏紙，每所寫，反覆有字；或就營田園處，以柴火寫書，故人尠能識別。

△抱朴子外篇卷五十自敍篇：「至於弔大喪、省困疾，乃心欲自勉，強令無不必至。」

△抱朴子外篇卷五十自敍篇：「又累遭兵火，先人典籍蕩盡。農隙之暇，無所讀，乃負笈徒步行

借。又卒於一家，少得全部之書，益破功。日伐薪賣之，以給紙筆，就營田園處，以柴火寫書。坐此之故，不得早涉藝文。常乏紙，每所寫，反覆有字，人尠能讀也。」

△北堂書鈔卷九十七引葛洪別傳：「負笈徒步，賣薪以給紙筆，夜燃柴火寫書。家貧無紙，所寫之書皆反覆有字，人少能讀。」

△晉書卷七十二葛洪傳：「洪少好學，家貧，躬自伐薪以貿紙筆，夜輒寫書誦習，遂以儒學知名。性寡欲，無所愛翫，不知棊局幾道，摴蒲齒名。爲人木訥，不好榮利，閉門却掃，未嘗交游。」

△太平御覽卷六百零二引抱朴子：「余家遭火，典籍蕩盡，困於無力，不能更得。故抄掇衆書，撮其精要，用功少而所收多，思不煩而所見博。」

△抱朴子外篇卷五十自敘篇：「洪寡所玩好……不及兒童之群。未嘗鬭雞、鶩，走狗馬，見人博戲，了不目眄，或強牽引觀之，殊不入神，有若晝睡。是以至今不知棊局上有幾道摴蒲齒名。」

晉惠帝元康七年丁巳（西元二九七年）　十五歲

葛洪於是年拜鄭隱（鄭思遠）爲師，學神仙導養之術。

鄭隱明五經，知仙道，兼綜九宮、三奇，推步天文、河洛、讖記，莫不精研。洪始見道家秘笈，並手抄鄭隱所示之經籍。自此至鄭師入山，數年之際，曾涉獵道家習見之書近百卷。鄭隱弟子五十餘人，惟洪受金丹之經及三皇內文、五岳眞形圖、枕中五行記、九丹、金銀液經、黃白中經等道家秘笈。此項殊遇，或因其師鄭隱乃其從祖葛仙公之嫡傳弟子故也。惜洪年尚少，意思不專，俗情未盡，不能大有所得，頗引以爲憾。

△抱朴子內篇卷十七登涉篇：「余少有入山之志。」

△晉書卷七十二葛洪傳：「時或尋書問義，不遠數千里崎嶇冒涉，期於必得，遂究覽典籍，尤好神仙導養之法。」

△晉書卷七十二葛洪傳：「稚川束髮從師，老而忘倦。紬奇册府，總百代之遺編；紀化仙都，窮九丹之祕術。謝浮榮而捐雜藝，賤尺寶而貴分陰，游德棲眞，超然事外。全生之道，其最優乎！」

△抱朴子內篇卷十九遐覽篇：「鄭君（指鄭隱）不徒明五經，知仙道而已，兼綜九宮、三奇，推步天文、河洛、讖記，莫不精研。」

△太平御覽卷六百七十二引抱朴子：「鄭君博極五經，知道者也。兼綜九宮、三棊、推步天文（「文」字，原作「下」，誤）、河洛、讖緯。」

△抱朴子內篇卷十九遐覽篇：「昔者幸遇明師鄭君，但恨弟子不慧，不足以鑽至堅，極彌高耳。於是雖充門人之灑掃，旣才識短淺，又年尙少壯，意思不專，俗情未盡，不能大有所得，以爲巨恨耳。鄭君時年出八十，先髮鬢白，數年間又黑，顏色豐悅。」

又：「余晚充鄭君門人，請見方書。……乃先以道家訓教戒書不要者近百卷，稍稍示余。……（又）以佳書相示也。又許漸得短書，縑素所寫者，積年之中，合集所見，當出二百許卷，終不可得也。他弟子皆親僕使之役，採薪耕田。唯余尫羸，不堪他勞。然無以自効，常親掃除，拂拭牀几，磨墨執燭，及與鄭君繕寫故書而已。見待余同於先進者。語余曰：雜道書卷，卷有佳事，但當校其精粗，而擇所施行。……然弟子五十餘人，唯余見受金丹之經及三皇內文、枕中五行記。其餘人乃有不得一觀此書之首題者矣。」

又：「抱朴子曰：余聞鄭君言，道書之重者，莫過於三皇文、五岳眞形圖也。古人仙官、至人尊祕，此道非有仙名者，不可授也。受之，四十年一傳。傳之，歃血而盟，委質爲約。諸名山五岳，皆有此書，但藏之於石室幽隱之地，應得道者，入山精誠思之，則山神自開山。」

△抱朴子內篇卷四金丹篇：「余師鄭君者，則余從祖仙公之弟子也，又於從祖受之。而家貧無用買藥，余親事之灑掃，積久乃於馬迹山中，立壇盟受之，并諸口訣。訣之不書者，江東先無此書，書出於左元放。元放以授余從祖。從祖以授鄭君，鄭君以授余。故他道士，了無知者也。然余受之，已二十餘年矣。資無擔石，無以爲之，但有長歎耳。」

△抱朴子內篇卷四金丹篇：「抱朴子曰：余考覽養性之書，鳩集久視之方，曾所披涉，篇卷以千計矣！」

△抱朴子內篇卷十六黃白篇：「余昔從鄭公受九丹及金銀液經，因復求受黃白中經五卷。」

△抱朴子內篇卷四金丹篇：「余少好方術，負步請問，不憚險遠。每有異聞，則以爲喜，雖見毀笑，不以爲戚。」

按：㈠據本年譜「一歲」及「三十五歲」所考定，抱朴子內外篇完成於晉元帝建武元年（西元三一七年），其時葛洪年三十五，而金丹篇言及其從鄭隱學道，迄今「已二十餘年矣」，若依此往前推算，則葛洪師事鄭隱，至遲不晚於十五歲。

㈡晉書葛洪傳有「稚川束髮從師」一語。大戴禮保傅篇：「束髮而就大學。」文選卷二十六謝靈運過始寧墅詩：「束髮懷耿介，逐物遂推遷。」「束髮」者，成童結髮爲飾，因以爲成童之稱也。禮記內則篇：「成童，舞象，學射御。」注：「成童，十五以上。」穀梁傳昭公十九年：「羈貫成童，不就師傅，父之罪也。」晉范寗注：「成童，八歲以上。」復查葛洪十四歲始發憤讀書，故得以推斷葛洪拜鄭隱爲師學道，以十五歲或前一年爲宜。而此項推斷，與案語㈠所言，亦相契合。

㈢抱朴子遐覽篇所謂「余晚充鄭君門人」，意謂葛洪從鄭隱學道較其他弟子爲晚。

陳壽卒，享年六十五。

裴頠著崇有論。

晉惠帝元康八年戊午（西元二九八年）　十六歲

葛洪始讀孝經、論語、詩、易，並博覽經史百家之言近萬卷，惟於圖緯、星書、算術、九宮、三棊、太一、飛符之屬，了不從焉。葛洪既欲學仙，又旁涉儒學，一心兩用，致有「意志不專」之歎。其所作詩賦、雜文，自謂可行於世。此時，葛洪欲精治五經，著一子書，令後世知其爲文儒，且無意於仕途，故每覽巢父、許由諸人之傳，嘗廢書前席，蓋仰慕其人而心嚮往之。

△抱朴子外篇卷五十自敍篇：「洪年十五、六時，所作詩賦、雜文，當時自謂可行於代。」

△意林卷四引抱朴子佚文：「洪年十五，大作詩賦，自謂可行於代。」

△抱朴子外篇卷五十自敍篇：「洪少有定志，決不出身。每覽巢、許、子州、北人、石戶、二姜、兩袁、法眞、子龍之傳，嘗廢書前席，慕其爲人。念精治五經，著一部子書，令後世知其爲文儒而已。後州郡及車騎大將軍辟皆不就，薦名琅玡王丞相府。」

△抱朴子外篇卷五十自敍篇：「年十六，始讀孝經、論語、詩、易。貧乏無以遠尋師友，孤陋寡聞，明淺思短，大義多所不通。但貪廣覽，於衆書乃無不暗誦精持，曾所披涉。自正經、諸史、百家之言，下至短雜文章，近萬卷，既性闇善忘，又少文，意志不專，所識者甚薄，亦不免惑。而著述時猶得有所引用。竟不成純儒，不中爲傳授之師。其河、洛、圖緯，一視便止，不得留意也。不喜星書及算術、九宮、三棊、太一、飛符之屬，了不從焉。由其苦人而少氣味也。」

晉惠帝元康九年己未（西元二九九年）　十七歲

葛洪年少羸弱多病，力不足以挽強弓。因欲鍛鍊身體、禦寇避刧、獵取鳥獸，乃於此時習武。其於兵器演練，特別注重口訣與秘法之學習。

△抱朴子外篇卷五十自敍篇：「洪稟性尫羸，兼之多疾。……少嘗學射，但力少不能挽強若顏高（按：顏高，春秋魯人，善引強弓，事見左傳定公八年）之弓耳。意爲射既在六藝，又可以禦寇辟刧，及取鳥獸，是以習之。昔在軍旅，曾手射追騎，應弦而倒，殺二賊一馬，遂以得免死。又

曾受刀楯及單刀、雙戟，皆有口訣要術，以待取人。乃有祕法，其巧入神。若以此道與不曉者對，便可以當全獨勝，所向無前矣。」

晉惠帝永康元年庚申（西元三〇〇年）　十八歲

夏，四月，趙王司馬倫反。八王之亂起。

秋，八月，趙王司馬倫殺潘岳、石崇等人。

張華卒。

晉惠帝永寧元年辛酉（西元三〇一年）　十九歲

春，正月，趙王司馬倫稱帝。

春，三月，齊王司馬冏亂，被擒。

夏，四月，成都王司馬穎誅司馬倫。六月，復以齊王司馬冏爲大司馬。

六月，陸機爲平原內史，陸雲爲清河內史。

晉惠帝太安元年壬戌（西元三〇二年）　二十歲

葛洪悔其少作詩賦、雜文，殊不稱意，乃棄十不存一；且已著手草創子書。又，此年，其師鄭隱率入室子弟隱居霍山，葛洪未從行。復案本年譜「十五歲」所引「稚川束髮從師」時，「鄭師年出八十」，則其入山修持，當已八十五歲有奇矣！

△抱朴子外篇卷五十自敍篇：「洪年十五、六時，所作詩賦、雜文，當時自謂可行於代。至于弱

冠，更詳省之，殊多不稱意。天才未必爲增也，直所覽差廣，而覺妍媸之別，於是大有所製，棄十不存一。今除所作子書，但雜尚餘百所卷。」

又：「洪年二十餘，乃計作細碎小文，妨棄功日，未若立一家之言，乃草創子書。會遇兵亂，流離播越，有所亡失。」

△意林卷四引抱朴子佚文：「洪年十五，大作詩賦，自謂可行於代。至弱冠尋覽，殊不稱意，一時毀之。」

△抱朴子內篇卷十九遐覽篇：「鄭君……太安元年，知季世之亂，江南將鼎沸，乃負笈持仙藥之樸，將入室弟子，東投霍山，莫知所在。」

△太平御覽卷六百七十二引抱朴子佚文：「鄭君……太和元年，知季辰之亂，江南將鼎沸，負笈將仙藥，東入霍山，莫知所之。」

按：依抱朴子遐覽篇，鄭隱於太安元年，率入室子弟隱居霍山。查「太安」係晉惠帝年號，其元年卽西元三〇二年，此時葛洪年二十。此與本年譜所引各項資料均無不合之處。若依太平御覽引文所言：鄭隱於太和元年入山，則「太和」乃晉海西公之年號，其元年卽西元三六六年，其時葛洪已作古二十三年矣。是以「太和」當係「太安」之誤。

多，十二月，長沙王司馬乂殺齊王司馬冏。

晉惠帝太安二年壬戌（西元三〇三年） 二十一歲

張翰因見秋風，乃思吳中菰菜、蓴羹、鱸魚膾，遂命駕歸。

夏，五月，義陽蠻張昌作亂。詔以劉弘爲鎭南將軍，都督荆州軍事，不利。

秋，七月，昌之別將石冰擊揚州，屯於建業。義軍大都督吳興太守顧祕（若依太平御覽所引抱朴子佚文，則爲丹陽太守宋道衡）檄洪爲將兵都尉，大破石冰，遷伏波將軍。依本年譜「十六歲」引文稱「洪少有定志，決不出身」，而此次所以出任軍職、勇於作戰者，一以「旣桑梓恐虜，禍深憂大，古人有急疾之義」也；一以「又畏軍法，不敢任志」也。剖析洪之所以能破賊立功者，不外：一、軍紀森嚴，支援友軍——破賊之日，錢帛山積，珍玩蔽地。諸軍莫不放兵收拾，獨洪約令所屬，不得妄離行陣，違者斬之以徇；又伏賊數百出傷友軍，洪曾爲之救助，使免於大崩。二、仗義輕財、體恤士卒——冰平，葛洪因功受賞，例給布百匹。而洪分賜將士，及施知故之貧者，又以所餘十匹，徑自市肉酤酒，以饗將吏。雖應得之賞，亦絕不私留，足見其廉退豪邁之風。三、施用法術、出奇制敵——丹陽太守宋道衡，依葛洪所獻之計，從月建住華蓋下，收合餘燼，因以破賊。

△晉書卷四惠帝紀：「（太安二年）五月，義陽蠻張昌舉兵反，以山都人丘沈爲主，改姓劉氏，僞號漢，建元神鳳，攻破郡縣。……昌別帥石冰寇揚州，刺史陳徽與戰，大敗，諸郡盡沒。」

△太平御覽卷三百二十八引抱朴子佚文：「晉太康（「太康」當係「太安」之誤）二年，京邑始亂，三國擧兵，攻長沙王乂。小民張昌，反於荆州，奉劉尼爲漢主，乃遣石冰擊定揚州，屯於建業。宋道衡說冰，求爲丹陽太守，到郡發兵以攻冰；召余爲將兵都尉。余年二十一，見軍旅，不得已而就之。宋侯不用吾計，數敗。吾令宋侯從月建住華蓋下，遂收合餘燼，從吾計破石冰焉。」

△抱朴子外篇卷五十自敍篇：「昔太安中，石冰作亂，六州之地，柯振葉靡，違正黨逆，義軍大都督邀洪爲將兵都尉，累見敦迫。既桑梓恐虜，禍深憂大，古人有急疾之義；又畏軍法，不敢任志。遂募合數百人，與諸軍旅進。曾攻賊之別將，破之日，錢帛山積，珍玩蔽地。諸軍莫不放兵收拾財物，繼轂連擔，洪獨約令所領，不得妄離行陣，士有摭得衆者，洪卽斬之以徇，於是無敢委杖。而果有伏賊數百，出傷諸軍。諸軍悉發，無部隊皆人馬負重，無復戰心，遂致驚亂，死傷狼藉，殆欲不振。獨洪軍整齊轂張，無所損傷，以救諸軍之大崩，洪有力焉。後別戰斬賊小帥，多獲甲首，而獻捷幕府。於是大都督加洪伏波將軍，例給布百匹。諸將多封閉之，或送還家，而洪分賜將士，及施知故之貧者，餘之十匹，又徑以市肉酤酒，以饗將吏。于時竊擅一日之美談焉。」

△晉書卷七十二葛洪傳：「太安中，石冰作亂，吳興太守顧祕爲義軍都督，與周玘等起兵討之，祕檄洪爲將兵都尉，攻冰別率，破之，遷伏波將軍。」

冬，十月，成都王司馬穎收殺陸機、陸雲。

嵇含四十一歲，年初，長沙王司馬乂召爲驃騎記室督、尚書郎。八月，乂與成都王司馬穎交戰，含請乂於「尚書」增設郎及令史。

王義之生。

晉惠帝永興元年甲子（西元三〇四年）　二十二歲

石冰事平，葛洪投戈釋甲，欲徑詣洛陽，搜尋異書，以廣見聞，然阻於戰亂而未果。

△晉書卷四惠帝紀：「三月，陳敏攻石冰，斬之，揚，徐二州平。」

△抱朴子外篇卷五十自敍篇：「事平，洪投戈釋甲，徑詣洛陽，欲廣尋異書，了不論戰功。……正遇上國大亂，北道不通。」

△抱朴子外篇卷五十自敍篇：「昔欲詣京師索奇異，而正值大亂，半道而還，每自歎恨。」

△晉書卷七十二葛洪傳：「冰平，洪不論功賞，徑至洛陽，欲搜求異書以廣其學。」

晉惠帝永興二年乙丑（西元三〇五年）　二十三歲

葛洪北上洛陽，因「八王」亂起，路塗阻隔，故曰「上國大亂，北道不通」。欲返故里，又以陳敏據江東作亂，遂周旋於徐、豫、荆、襄、江、廣數州之間。

△晉書卷四惠帝紀：「十二月，……右將軍陳敏擧兵反，自號楚公。矯稱被中詔，從沔漢奉迎天子，逐揚州刺史劉機、丹楊太守王曠。遣弟恢南略江州；刺史應邈奔弋陽。」

△抱朴子外篇卷五十自敍篇：「徑詣洛陽，欲廣尋異書。……正遇上國大亂，北道不通，而陳敏又反於江東，歸塗隔塞。」

△抱朴子內篇卷四金丹篇：「往者上國喪亂，莫不奔播四出，余周旋徐、豫、荆、襄、江、廣數州之間。」

晉惠帝光熙元年丙寅（西元三〇六年）　二十四歲

巧值故人嵇含（字君道）於襄陽。其時，鎭南將軍劉弘任嵇含爲廣州刺史、假節，含遂表洪爲參軍。洪求先行，至廣州。嵇含未發，會劉弘卒，而爲素與嵇含有隙之劉弘司馬郭勱所害。

△抱朴子外篇卷五十自敘篇：「正遇上國大亂，北道不通，而陳敏又反於江東，歸塗隔塞。會有故人譙國嵇君道，見用爲廣州刺史，乃表請洪爲參軍。雖非所樂，然利可避地於南，故黽勉就焉。見遣先行催兵，而君道於後遇害，遂停廣州。」

△晉書卷七十二葛洪傳：「洪見天下已亂，欲避地南土，乃參廣州刺史嵇含軍事。及含遇害，遂停南土……。」

△太平寰宇記卷一百六十引袁宏羅浮記：「譙國人嵇含嘗爲廣州，乃請洪參廣州軍事，洪先行到廣州，而含于此遇害，洪還留廣州。」

△晉書卷八十九嵇含傳：「含弃鎭南將軍劉弘於襄陽，弘待以上賓之禮。……陳敏作亂，江揚震蕩，南越險遠，而廣州刺史王毅病卒，弘表含爲平越中郎將、廣州刺史，假節。未發，會弘卒，時或欲留含領荆州。含性剛躁，素與弘司馬郭勱有隙，勱疑含將爲己害，夜掩殺之，時年四十四。」

晉懷帝永嘉元年丁卯（西元三〇七年）　二十五歲

嵇含既卒，葛洪羈留南土數年，絕意仕途，屢檄不就。

△抱朴子外篇卷五十自敘篇：「君道於後遇害，遂停廣州。頻爲節將見邀用，皆不就。」

△晉書卷七十二葛洪傳：「及含遇害，遂停南土多年，征鎭檄命一無所就。」

晉懷帝永嘉二年戊辰（西元三〇八年）　二十六歲

夏，五月，漢王彌寇洛陽，敗走。

冬，十月，漢王劉淵稱皇帝。

晉懷帝永嘉三年己巳（西元三〇九年）　二十七歲

秋，八月，漢寇洛陽，敗。

冬，十月，漢復寇洛陽，又敗。

晉懷帝永嘉四年庚午（西元三一〇年）　二十八歲

春，湘州流民作亂，擁杜弢爲刺史。王敦爲揚州刺史。

晉懷帝永嘉五年辛未（西元三一一年）　二十九歲

夏，五月，杜弢陷長沙。漢劉聰陷洛陽，執帝遷平陽。

秋，漢劉曜陷長安。

郭文入餘杭山中隱居，有虎相隨左右。

晉懷帝永嘉六年壬申（西元三一二年）　三十歲

隱居羅浮山，始與南海太守鮑靚相善，或語論達旦。靚，字太玄，琅邪人，漢司隸鮑宣之後。靚學兼內外，明天文、河、洛書，嘗見仙人陰君（即陰長生），授道訣。爲南海太守時，晝臨民政，夜來羅浮山，騰空往返。旋，洪拜靚爲師，受石室三皇文，且娶鮑女鮑姑爲妻。

△太平寰宇記卷一百六十引袁宏羅浮記：「洪先行到廣州，而（嵇）含于此遇害。洪還留廣州，乃

憩於此山（指羅浮山）。」

△正統道藏洞眞部「淡」字號、歷世眞僊體道通鑑卷二十一引羅浮圖志：「稚川居羅浮時，靚爲南海太守，以道術見稱，嘗行部，入海遇風，飢甚，取白石煮食之。與稚川善，常往來山中，或語論達旦。」

△正統道藏太玄部「棠」字號、雲笈七籤卷一百五十：「鮑姑者，南海太守鮑靚之女，晉散騎常侍葛洪之妻也。……（鮑靚）求出爲南海太守，以姑適葛稚川。」

△正統道藏洞玄部「惟」字號、仙苑編珠下卷引道學傳：「鮑靚乃葛洪妻父，於羅浮山俱得道。」

△晉書卷七十二葛洪傳：「後師事南海太守上黨鮑玄。玄亦內學，逆占將來，見洪深重之，以女妻洪。」

△晉書卷九十五鮑靚傳：「鮑靚字太玄，東海人也。……靚學兼內外，明天文、河、洛書，稍遷南陽中部都尉，爲南海太守。……靚嘗見仙人陰君，授道訣，百餘歲卒。」

△太平御覽卷六百六十四引神仙傳：「鮑靚，字太玄，琅邪人，晉明帝時人。葛洪妻父，陰君授其尸解法。一說云：靚，上黨人，漢司隸鮑宣之後，修身養性，年過七十而解去。」

△太平御覽卷六百六十三引道學傳：「鮑靚，字太玄。」

△太平御覽卷四十一引羅浮山記：「鮑靚字子玄，上黨人，博究仙道，爲南海太守，晝臨民政，夜來羅浮山，騰空往還。」

△太平御覽卷七百六十五引南越志：「鮑靚爲南海太守，嘗夕飛往羅浮山，曉還。有小吏晨洒掃，忽

見兩鵲飛入小齋，吏帚擲之，墜於地，視之乃靚之履也。」

△古今圖書集成博物彙編神異典卷二百三十五、神仙部列傳引香案牘：「靚與葛稚川善，每來，門無車馬，獨雙燕往還。或怪而網之，則雙履也。」

按：太平御覽卷四十一引羅浮山記作「鮑靚字子玄，上黨人」；卷六百六十三引道學傳作「鮑靚字太玄」；卷六百六十四引神仙傳作「鮑靚字太玄，琅邪人。……一說云：靚，上黨人，漢司隸鮑宣之後」；晉書葛洪傳作「後師事南海太守上黨鮑玄」；晉書鮑靚傳作「鮑靚字太玄，東海人也」。綜觀諸書所言：一、鮑靚，應字「太玄」，而葛洪傳誤以「玄」爲名者，疑「玄」字上脫一「太」字，或因雙名取其單稱耳。又羅浮山記作「子玄」，或即「太玄」之誤。二、鮑靚，或言上黨人、或言琅玡人、或言東海人。據吳士鑑、劉承幹晉書鮑靚傳斠注所論定：「上黨」「東海」皆非。應以「琅邪」爲是。

△唐李吉甫元和郡縣志卷三十四「博羅縣」：「羅浮山，在縣西北二十八里。羅山之西有浮山，蓋蓬萊之一阜，浮海而至，與羅山並體，故曰羅浮。高三百六十丈，周迴三百二十七里，峻天之峰四百三十有二焉，事具袁彥伯記。」

△太平御覽卷四十一引南越志：「此山本名蓬萊山，一峯在海中，與羅山合，因名焉。」

△說郛卷四引羅浮山記：「羅浮者，蓋總稱也。羅，羅山也；浮，浮山也。二山合體謂之羅浮，在曾城、博羅二縣之境。舊說羅浮高三千丈，七十石室，七十長溪，神禽玉樹之所在，山中菖蒲一

寸廿節。」

△太平御覽卷四十一引羅浮山記：「羅，羅山也。浮，浮山也。二山合體，謂之羅浮，在層城、博羅二縣之境。有羅水南流，注于海。舊說：羅浮高三千丈，長八百里，有七十二石室，七十二長溪，神湖，神禽，玉樹，朱草。相傳云：浮山從會稽來。今浮山上猶有東方草木。」

△清顧祖禹讀史方輿紀要卷一百云：「羅浮山，在廣州府增城縣東北三十里，惠州府博羅縣西北五十里。」

按：羅浮，山名，合羅山、浮山而得名，位增城縣東北，博羅縣西北，二縣於晉均屬「廣州」。

△晉書卷一百王機傳：「王機字令明，長沙人也。父毅，廣州刺史，甚得南越之情。……會廣州人背刺史郭訥，迎機爲刺史，機遂將奴客門生千餘人入廣州，州部將溫邵率衆迎機。」

△晉書卷九十五鮑靚傳：「鮑靚……爲南海太守。……王機時爲廣州刺史。」

△資治通鑑卷八十七、晉紀十、永嘉六年：「王機……以其父毅、兄矩皆嘗爲廣州刺史，就敦（卽征討都督王敦）求廣州，敦不許。會廣州將溫邵等叛刺史郭訥，迎機爲刺史，機遂將奴客門生千餘人入廣州。訥遣兵拒之，將士皆機父兄時部曲，不戰迎降；訥乃避位，以州授之。」

△資治通鑑卷八十九、晉紀十一、建興三年：「初，交州刺史顧祕卒，州人以祕子壽領州事。帳下督梁碩起兵攻壽，殺之，碩遂專制交州。王機自以盜據廣州，恐王敦討之，更求交州。會杜弘詣機降，敦欲因機以討碩，乃以降杜弘爲機功，轉交州刺史。機至鬱林，碩迎前刺史脩則子湛行州

事以拒之。機不得進，乃更與杜弘及廣州將溫邵、交州秀才劉沈謀復還據廣州。陶侃至始興，州人皆言宜觀察形勢，不可輕進；侃不聽，直至廣州，諸郡縣皆已迎機矣。杜弘遣使僞降，侃知其謀，進擊弘，破之，遂執劉沈於小桂。遣督護許高討王機，走之。機病死于道，高掘其尸，斬之。」

按：有關葛洪遇鮑靚、拜其爲師、娶其女爲妻之年代，查現存資料，均乏明確記載。目前計有三說：一、葛洪二十五歲（永嘉元年，西元三〇七年）左右，於廣州與靚相遇。二、葛洪三十歲（永嘉六年，西元三一二年）以後，於廣州與靚相遇。三、葛洪三十七歲（太興二年，西元三一九年）左右，靚退隱，於句容與洪相遇。

其中第三說，就今日可見之資料言，無二人相見於句容之記載。殊不可信。

查鮑靚爲南海太守時，葛洪正在廣州。且據太平寰宇記引羅浮記云：嵇含遇害，洪猶留廣州，乃憩於羅浮山。由此一「乃」字，得知洪抵廣州後，即行定居羅浮山。而羅浮山與南海同屬廣州，兩地相去不遠。而前引「稚川居羅浮時，靚爲南海太守，……與稚川善，常往來山中，或語論達旦」、「鮑靚乃葛洪妻父，於羅浮山俱得道」、「鮑靚……爲南海太守，晝臨民政，夜來羅浮山，騰空往還」、「鮑靚爲南海太守，嘗夕飛往羅浮山，曉還」云云，足以說明鮑靚葛洪二人關係親密，爲朋友、爲師生、爲翁壻，既以羅浮山爲二人遇合之地址，宜以一二兩說爲是。

復依晉書鮑靚傳，靚爲南海太守時，正逢王機任廣州刺史。又通鑑晉紀云：王機於永嘉六年任廣州刺史；及建興三年王機轉交州刺史；同年病卒。如是，王機任廣州刺史，當在永嘉六年（西元三一二年）至建興三年（西元三一五年）之間。是則鮑靚之任南海太守，亦約當此時。依本年譜，葛洪係於二十四歲（晉惠帝光熙元年，西元三〇六年）因赴友人嵇含參軍而抵廣州，以含被害，未就職卽隱居羅浮山。據此以觀，第一說於空間雖有可能，於時間上殊有不合。因鮑靚任南海太守之初，葛洪年已三十，而非二十五歲左右。是以鮑靚與葛洪相遇，建立親暱關係，自以第二說爲是。

△雲笈七籤卷四「三皇經說」：「鮑靚，……少好仙道，以晉元康二年二月二日登嵩高山，入石室清齋，忽見古三皇文，皆刻石爲字爾。……靚乃依法以四百尺絹爲信，自盟而受。後傳葛稚川，枝孕相傳，至于今日。」

△雲笈七籤卷六：「鮑靚於晉惠帝永康（「永」當係「元」字之誤）中，於嵩山劉君石室清齋思道，忽有刻石三皇文出於石壁，靚以絹四百尺告玄而受，後授葛洪。」

按：鮑靚所授之石室三皇文，係元康二年（西元二九二年）於嵩高山「石室清齋」中所得者。自與葛洪「十五歲」時，拜鄭隱爲師所受之「三皇文」（又稱「三皇內文」）不同。

春，二月，琅邪王司馬睿討石勒，敗之。

冬，十二月，前太子洗馬衞玠卒。

晉愍帝建興元年癸酉（西元三一三年）　三十一歲

春，二月，漢劉聰弒帝於平陽。

夏，四月，太子業卽位於長安，是爲愍帝。

五月，以琅邪王司馬睿爲丞相。陶侃破走杜弢。

晉愍帝建興二年甲戌（西元三一四年）　三十二歲

葛洪返故里，閑居，州郡及車騎大將軍禮辟，皆不就。

此時，葛洪受鮑靚及從祖葛玄信奉之影響，自廣州北返後，或已始於句容故里修道煉丹。此年，與餘杭令顧颺，偕至山中訪郭文。郭文字文舉，河內軹人也。愛山水，尙嘉遁。能知先機、避災難。

△晉書卷七十二葛洪傳：「後還鄉里，禮辟皆不赴。」

△抱朴子外篇卷五十自敍篇：「後州郡及車騎大將軍，辟皆不就。」

按：依本年譜記載，「三十歲」時，葛洪與鮑靚之女鮑姑成婚，其時人在廣州；「三十三歲」時，葛洪出任丞相琅邪王司馬睿府掾，是其人已返回故里。如是，葛洪返鄉之年歲，當在三十至三十三歲之間耳！

復以葛洪「三十歲」時，其翁鮑靚新任南海太守，且値初婚期間，諸事如意，何意於長途跋涉？故推斷其於三十二歲時返鄉，較爲適當。

△句容縣志卷三「山川志」：「抱朴峰在大茅峰北，相連一高峯，有葛洪煉丹處。……葛仙翁煉丹

井有二：一在縣南青元觀，一在抱朴峰。……拗月灣池在縣西，葛仙庵側，每中秋月圓則水中月影方半，相傳葛稚川幻術。」

按：句容縣志有關葛洪在句容煉丹之記載，如係可信，必在其自廣州北返故里之時。

△晉書卷七十二葛洪傳：「於餘杭山見何幼道、郭文舉，目擊而已，各無所言。」

△晉書卷九十四郭文傳：「郭文字文舉，河內軹人也。少愛山水，尙嘉遁。……洛陽陷，乃步擔入吳興餘杭大辟山中、窮谷無人之地。……餘杭令顧颺與葛洪共造之，而携與俱歸。颺以文山行或須皮衣，贈以韋袴褶一具，文不納，辭歸山中。……王導聞其名，遣人迎之。……既至，導置之西園，園中果木成林，又有鳥獸麋鹿，因以居文焉。……居導園七年，未嘗出入。一旦忽求還山，導不聽。後逃歸臨安，結廬舍於山中。臨安令萬寵迎置縣中。及蘇峻反，破餘杭，而臨安獨全，人皆異之，以爲知機。自後不復語，但舉手指麾，以宣其意。病甚，求還山，……寵不聽。……寵葬之於所居之處而祭哭之，葛洪、庾闡並爲作傳，讚頌其美云。」

按：資治通鑑卷九十三、晉紀十五載，蘇峻之反在成帝咸和二年（西元三二七年）。此前，郭文曾居王導西園七年之久。如是，葛洪與餘杭令顧颺偕至餘杭山中訪郭文，當在太興三年（西元三二〇年）以前。惟據晉書郭文傳，郭文入餘杭大辟山隱居，在漢主劉聰陷洛陽（晉懷帝永嘉五年，西元三一一年）之後，故葛洪之造訪郭文，絕不早於此時。餘杭位於浙江杭縣西，距句容不遠。故葛洪之遇郭文，必在返里之後。依本年譜，「三十二歲」返故里，「三十三歲」出任琅邪王司馬睿丞相府掾，依此推算，葛洪之造訪郭文，或在此年。

△太平御覽卷五百零二引王隱晉書：「郭文字文舉，河內人，隱居不仕，常居臨安、及吳興餘杭。依山結廬，臨淸澗植穀種麻，以供衣食。常著葛巾、披鹿皮。其山多虎豹，文獨無藩籬格障，然虎豹並不至。太興中，揚州刺史王導聞其名，乃自迎與相見。尋而逃去，莫知所在。」

△水經注卷四十「漸江水」：「晉建武元年，驃騎王導迎文，置之西園。」

按：依前項考定，郭文始居王導之西園，當爲成帝太興三年（西元三二〇年）。而太平御覽引王隱晉書，言「太興中」王導迎見郭文者，蓋籠統而言，尙無不合。惟水經注稱「建武元年」云云，似有未當。

晉愍帝建興三年乙亥（西元三一五年）　三十三歲

琅邪王司馬睿爲丞相，大事招延人才，葛洪被辟爲府掾。

△晉書卷七十二葛洪傳：「元帝（卽琅邪王司馬睿）爲丞相，辟爲掾。」

△抱朴子外篇卷五十自敍篇：「薦名琅邪王丞相府。」

△晉書卷五愍帝紀：「建興元年……五月壬辰，以鎭東大將軍、琅邪王睿爲侍中、左丞相、大都督陝東諸軍事。——（建興）三年，……二月丙子，進左丞相、琅邪王睿爲（丞相）、大都督中外諸軍事。」（據晉書卷六元帝紀云「愍帝卽位，加左丞相。歲餘，進位丞相、大都督中外諸軍事」及資治通鑑卷八九、晉紀卷十一、愍帝建興三年云「二月，丙子，以琅邪王睿爲丞相、

大都督、督中外諸軍事」，「大都督」上當有「丞相」二字。此廢左右丞相，由左丞相而爲丞相，故言「進」。若無「丞相」二字，依史文例，僅能言「加」。）

△晉書卷八十九虞悝傳：「元帝爲丞相，招延四方之士，多辟府掾，時人謂之『百六掾』。」

△晉書卷六元帝紀：「建武元年，……三月……群臣……請依魏晉故事爲晉王，許之。辛卯，即王位，大赦，改元。……辟掾屬百餘人，時人謂之『百六掾』。乃備百官，立宗廟社稷於建康。」

按：依晉書葛洪傳、虞悝傳，司馬睿大事招延人才，多辟掾屬，時人謂之「百六掾」，當在其任丞相時；若依晉書元帝紀，則在其爲晉王時；其間相差僅二年。「掾」，人數高達百餘人，或爲儲才養士之用，屬「顧問」「咨議」之流，故葛洪雖有出世之想，但亦難予推卻。

秋，八月，陶侃破杜弢；弢走死，湘州平。加侃爲廣州刺史。

干寶平杜弢有功，賜爵關內侯。

晉愍帝建興四年丙子（西元三一六年）　三十四歲

冬，十一月，漢劉曜陷長安，愍帝出降。

晉元帝建武元年丁丑（西元三一七年）　三十五歲

建興四年，劉曜陷長安，愍帝出降。翌年，琅邪王司馬睿承制，即晉王位於建康，改元建武。以葛洪伐石冰有功，詔書賜爵關中侯（晉書葛洪傳作「關內侯」），食句容之邑二百戶。其時，葛洪以謂「討賊以救桑梓，勞不足錄；金紫之命，非其始願。本欲遠慕魯連，近引田疇」，曾上書固辭，惟因事關大例，未得見許。

△晉書卷五愍帝紀：「建興……五年（卽建武元年）三月，琅邪王睿承制改元，稱晉王於建康。」

△抱朴子外篇卷五十自敍篇：「昔起義兵，賊平之後，了不修名詣府，論功主者，永無賞報之冀。晉王應天順人，撥亂反正，結皇綱於垂絕。修宗廟之廢祀，念先朝之滯賞。並無報以勸來，洪隨例就彼。庚寅（「庚寅」指日期，非斥年期也。此於晉書詔書中屢見不鮮，若元帝紀太興元年有「壬申詔曰」、「癸巳詔曰」、「庚申詔曰」等，悉就日期而言），詔書賜爵關中侯，食句容之邑二百戶。竊謂討賊以救桑梓，勞不足錄；金紫之命，非其始願。本欲遠慕魯連，近引田疇，上書固辭，以遂微志；適有大例，同不見許。昔仲由讓應受之賜而沮爲善。醜虜未夷，天下多事，國家方欲明賞必罰，以彰憲典，小子豈敢苟潔區區之懦志，而距私通之大制。故遂息意而恭承詔命焉。」

△晉書卷七十二葛洪傳：「元帝爲丞相，辟爲掾。以平賊功，賜爵關內侯。」

據抱朴子自敍篇，葛洪所著抱朴子內篇二十卷（言神僊、方藥、鬼怪、變化、養生、延年、禳邪、却禍諸事之梗概，而以金丹之說爲主，屬道家）、外篇五十卷（言人間得失，世事臧否，屬儒家），碑頌、詩賦百卷，軍書、檄移、章表、箋記三十卷，神僊傳十卷，隱逸傳十卷，悉於是年定稿。

△抱朴子外篇卷五十自敍篇：「今齒近不惑，素志衰頹。……會遇兵亂，流離播越。……連在道路，不復投筆十餘年。至建武中，乃定：凡著內篇二十卷，外篇五十卷。……洪既著自敍之篇，

或人難曰：『昔王充年在耳順，道窮望絕，懼身名之偕滅，故自紀終篇。先生以始立之盛，值乎有道之運，……何憾芬芳之不揚，而務老生之彼務？』」

△晉書卷七十二葛洪傳：「洪乃止羅浮山煉丹。……在山積年，優游閑養，著述不輟。……自號抱朴子，因以名書。」

按：「建武」，乃東晉元帝年號，建號僅一年。依葛洪生於太康四年推算，建武元年葛洪三十五歲與「齒近『不惑』」及「『始立』之盛」兩者相合。是以抱朴子成書之年，葛洪正三十五歲也。若依晉書葛洪傳，抱朴子一書似成於葛洪隱居羅浮山時期（五十歲以後），想係臆測之辭，殊不可信。

△抱朴子外篇卷五十自敍篇：「洪年二十餘，乃計作細碎小文，妨棄功日，未若立一家之言，乃草創子書。會遇兵亂，流離播越，有所亡失。連在道路，不復投筆十餘年。至建武中，乃定：凡著內篇二十卷、外篇五十卷，碑頌、詩賦百卷，軍書、檄移、章表、箋記三十卷，又撰俗所不列者爲神僊傳十卷，又撰高尚不仕者爲隱逸傳十卷。其內篇言神僊、方藥、鬼怪、變化、養生、延年、禳邪、却禍之事，屬道家。其外篇言人間得失、世事臧否，屬儒家。」

△晉書卷七十二葛洪傳引抱朴子自序：「故予所著子（書），言黃白之事，名曰內篇，其餘駁難通釋，名曰外篇，大凡內外一百一十六篇。雖不足藏諸名山，且欲緘之金匱，以示識者。」

按：晉書葛洪傳言抱朴子內外篇計一百一十六篇，與抱朴子自敍篇所言不合。茲據清孫星衍抱朴子校正本「內篇序」案語，知晉書之與自敘篇所言有異者，蓋「史家刪改」之誤所致。

葛洪於十六歲時已立志撰一子書；二十歲着手草創；迨三十五歲撰成抱朴子一書，其願遂焉。洪期於守常，不隨時變，言則率直；為杜絕嘲戲，非其人，終日默然，故邦人咸稱之為「抱朴」之士。書成後，因以自號。

△晉書卷七十二葛洪傳：「自號抱朴子，因以名書。」

△抱朴子外篇卷五十自敘篇：「洪期於守常，不隨世變。言則率實，杜絕嘲戲，不得其人，終日默然。故邦人咸稱之為抱朴之士。是以洪著書，因以自號焉。……至於弔大喪、省困疾，乃心欲自勉，強令無不必至。而居疾少健，恆復不周。每見譏責於論者，洪引咎而不恤也。意苟無餘，而病使心違，顧不媿己而已，亦何理於人之不見亮乎？唯明鑒之士，乃恕其信抱朴，非以養高也。」

△抱朴子外篇卷二十二行品篇：「履道素而無欲，時雖移而不變者，朴人也。」

葛氏或因得書不易，或因繼續鑽研，於撰述之餘，尚抄錄五經、七史、百家之言、兵事、方伎、短雜、奇要三百一十卷，別有目錄。

△抱朴子外篇卷五十自敘篇：「又抄五經、七史、百家之言、兵事、方伎、短雜、奇要三百一十卷，別有目錄。」

晉元帝太興元年戊寅（**西元三一八年**）　**三十六歲**

春，三月，晉王司馬睿即皇帝位，是為晉元帝。

夏，五月，段匹磾殺劉琨。

秋，八月，鮑靚遘仙人陰長生（亦稱陰君）於蔣山北道。陰君有先知之術。

△雲笈七籤卷八十五陰君傳鮑靚尸解法：「晉太興元年，靚暫往江東，於蔣山（卽今鍾山）北道，見一人，年可十六七許，……此人曰『吾仙人陰長生。……此地復十年，當交兵流血。』計至蘇峻亂，足十年。」

△太平御覽卷六百六十三引道學傳：「鮑靚字太玄，以太興元年八月二十日，步道上京，行達龍山，見前有一少年。……及問……少年答曰：『我中山陰長生也。』」

干寶因王導之奏，爲史官，始修晉紀。

晉元帝太興二年己卯（西元三一九年）　三十七歲

晉元帝太興三年庚辰（西元三二〇年）　三十八歲

晉元帝太興四年辛巳（西元三二一年）　三十九歲

晉陵郡（郡治今江蘇省武進縣）內史張闓建曲阿新豐塘（亦曰新豐湖，在丹陽縣東北三十里）救旱，每歲豐稔，葛洪爲文贊頌之。

△晉書卷七十六張闓傳：「帝（指元帝）踐阼，（張闓）出補晉陵內史，在郡甚有威惠。……時所部四縣並以旱失田，闓乃立曲阿新豐塘，溉田八百餘頃，每歲豐稔。葛洪爲其頌。」吳士鑑劉承幹斠注：「案卽世說規箴篇所引葛洪富民塘頌。上文作新豐塘，蓋以地名，塘成以後，或易稱爲

富民也。」

按：世說新語規箴篇僅言及張闓軼事一則。梁劉孝標注，除「葛洪富民頌曰『闓字敬緒，丹陽人，張昭孫也』」數句外，並無富民頌之引文。

△唐李吉甫元和郡縣志卷二十五：「新豐湖在（丹陽）縣東北三十里，晉元帝太興四年，晉陵內史張闓所立。」

△清顧祖禹讀史方輿紀要卷二十五、江南七、鎮江府、丹徒縣：「新豐湖，府東南三十五里，亦曰新豐塘。」

秋，九月，豫州刺史祖逖卒。

晉元帝永昌元年壬午（西元三二二年）　四十歲

春，正月，郭璞上疏，請因皇孫生，下赦令，帝從之。

王敦舉兵反，分兵寇長沙。

夏，五月，敦殺梁州刺史甘卓。

晉明帝太寧元年癸未（西元三二三年）　四十一歲

晉明帝太寧二年甲申（西元三二四年）　四十二歲

夏，六月，加司徒王導大都督爲揚州刺史。

七月，帝親征王敦，破之。敦死，衆潰。

十二月，壬子，沈充故將顧颺反於武康（今浙江省吳興縣南）。敗，伏誅。（事見晉書卷六明帝紀）

按：顧颺本餘杭令，嘗與葛洪俱訪郭文。

晉明帝太寧三年乙酉（西元三二五年）　四十三歲

鮑靚或卒於此年（參見本年譜「四十五歲」）。

晉成帝咸和元年丙戌（西元三二六年）　四十四歲

四月，葛洪養牛近二十頭。境內多虎災，不可防遏，前後百日，失牛六、七頭。是時縣有荒飢，家道迍否。

先時（太興初），司徒王導上疏奏薦干寶、王隱及郭璞諸人參與晉史之編纂。是年，復召葛洪補州主簿，轉司徒掾，遷諮議參軍。

干寶始識葛洪，見其才堪史職，乃薦撰修國史，選爲散騎常侍、領大著作。葛洪固辭不就。

△正統道藏洞神部「傷」字號、洞神八帝妙精經抱朴密言：「洪以咸和元年四月戊午，於所居西，養特牛近二十頭。時既有荒飢，家道迍否。又縣多虎災，不可防遏，虎來侵損群牛，前後百日，已六七頭矣。」

△晉書卷八十二干寶傳：「中興草創，中書監王導上疏曰：『……陛下聖明，當中興之盛，宜建立國史，撰集帝紀，……宜備史官，敕佐著作郎干寶等漸就撰集。』元帝納焉。寶於是始領國史。

……著晉紀，自宣帝迄于愍帝五十三年，凡二十卷。」

△晉書卷六十五王導傳：「尋代賀循領太子太傅。時中興草創，未置史官，導始啓立，於是典籍頗具。」

△晉書卷六十八賀循傳：「及帝（指晉元帝）踐位……俄以循行太子太傅。……（循）累表固讓。……太興二年卒，時年六十。」

△晉書卷八十三王隱傳：「太興初，典章稍備，乃召隱及郭璞俱爲著作郎，令撰晉史。」

△晉書卷七十二葛洪傳：「咸和初，司徒導召洪補州主簿，轉司徒掾，遷諮議參軍。干寶深相親友，薦洪才堪國史，選爲散騎常侍，領大著作，洪固辭不就。」

按：王導召葛洪補州主簿，或以時有荒飢，葛洪家道沍否，爲解其困境也。而葛洪因生活所迫，乃受職不辭。旋轉司徒掾，遷諮議參軍，以兩職同屬「諮議」「顧問」性質，故樂予接受。

晉成帝咸和二年丁亥（西元三二七年）　四十五歲

鮑靚曾於蔣山遇眞人陰長生，受刀解之術。靚還丹陽，卒後，有人盜發其棺，無尸，惟大刀一柄耳。

△古今圖書集成博物彙編神異典第二百三十六卷、神仙部列傳十三、晉二引墉城集仙錄：「東晉元帝太興元年戊寅，靚於蔣山，遇眞人陰長生，授刀解之術。……靚還丹陽，卒，葬於石子岡。後遇蘇峻亂，發棺無尸，但有大刀而已。」

△明王圻續文獻通考：「靚還丹陽，卒，葬石子岡。後蘇峻之亂，盜發其棺，無屍，惟大刀一柄。」

晉成帝咸和三年戊子（西元三二八年）　四十六歲

郭文逃歸臨安。蘇峻反，破餘杭，而臨安獨全，人皆異之。人問其死期，文三舉手，果以十五日終。葛洪與庾闡並爲作傳贊頌之。

△晉書卷九十四郭文傳：「（郭文）居（王）導園七年，未嘗出入。一旦忽求還山，導不聽。後逃歸臨安。……臨安令萬寵迎置縣中。及蘇峻反，破餘杭，而臨安獨全，人皆異之，以爲知機。自後不復語，但舉手指麾，以宣其意。病甚，求還山，欲枕石安尸，不令人殯葬，寵不聽。不食二十餘日，亦不瘦。寵問曰：『先生復可得幾日？』文三舉手，果以十五日終。寵葬之於所居之處而祭哭之。葛洪、庾闡並爲作傳，贊頌其美云。」

△晉書卷七成帝紀：「（咸和）二年……十一月，豫州刺史祖約、歷陽太守蘇峻等反。」

△資治通鑑卷九十三、晉紀十五、成帝咸和二年：「冬，十月，……徵（蘇）峻爲大司農，加散騎常侍，位特進。……阜陵令匡術亦勸峻反，峻逐不應命。……峻知祖約怨朝廷，乃遣參軍徐會推崇約，請共討庾亮。……十二月，辛亥，蘇峻使其將韓晃、張健等襲陷姑孰，取鹽米。……（咸和）三年，……九月，（陶）侃部將彭世、李千等投之以矛，峻墜馬；斬首，臠割之，焚其骨，三軍皆稱萬歲。……峻司馬任讓等共立峻弟逸爲主，閉城自守。」

△晉書卷一百蘇峻傳：「於是遣參軍徐會結祖約，謀爲亂，而以討（庾）亮爲名。……遣韓晃入義

興，張健、管商、弘徽等入晉陵。……管商等進攻吳郡，焚吳縣、海鹽、嘉興，敗諸義軍。……管商等又焚餘杭，而大敗於武康，退還義興。」

按：蘇峻之反，依通鑑晉紀十五，當在成帝咸和二年十二月；若依晉書成帝紀，則在咸和二年十一月，兩紀相差一月。

據晉書蘇峻傳，餘杭之破焚，應稍早於咸和三年九月，蘇峻爲陶侃部將彭世、李千斬首之時。又：晉書郭文傳「蘇峻反，破餘杭，……自後不復言，……不食二十餘日，亦不瘦。……（人問其死期，文三擧手）果以十五日終」云云，亦足以證明郭文絕食而死，距餘杭之破，必在一月以上。如是，郭文之死當在是年。

晉成帝咸和四年己丑（西元三二九年）　四十七歲

葛洪素有隱居山林之志，自度性懶才短，不能致名位、免患累，末若修赤松子、王子喬之道，立志登名山，服食養性，以尋王方平、梁公之軌。迨郭文之死，敬仰其人有「未卜先知」之術，爲其作傳贊頌之餘，慨嘆人生無常，因有隱居蘭風山，從事修道之擧。

△抱朴子外篇卷五十自敍篇：「自度性篤懶而才至短。以篤懶而御短才，雖翕肩屈膝，趨走風塵，猶必不辨，大致名位而免患累，況不能乎？未若修松喬之道，在我而已，不由於人焉。將登名山，服食養性。非有廢也，事不兼濟。自非絕棄世務，則曷緣修習玄靜哉？……而古之修道者，必入山林者，誠欲以違遠讙譁，使心不亂也。今將遂本志，委桑梓，適嵩岳，以尋方平、梁公之

軌。」

△水經注卷四十「漸江水」：「上虞……縣南有蘭風山，山少木多石，驛路帶山傍江，路邊皆作欄干。山有三嶺，枕帶長江，苕苕孤危，望之若傾。緣山之路，下臨大川，皆作飛閣欄干，乘之而渡，謂此三嶺爲三石頭，丹陽葛洪遁世居之，基井存焉。琅琊王方平，性好山水，又爰宅蘭風，垂釣于此。」

△太平寰宇記卷九十六引會稽錄：「昔葛洪隱於蘭芎山，後於此仙去。」

△太平寰宇記卷九十六引輿地志：「（蘭風湖），葛仙所棲隱處。」

△太平寰宇記卷九十六「上虞縣」下云：「蘭風山，在縣西北二十五里。」

△太平御覽卷四十七引孔靈符會稽記：「上虞縣有龍頭山，上有蘭峯，峯頂盤石廣丈餘，葛洪學坐其上。」

△正統道藏洞玄部「虞」字號、梁陶弘景吳太極左仙公葛公之碑：「公馳涉川嶽，龍虎衞從，長山蓋竹尤多，去來天台，蘭風是焉。……揭來台霍，偃蹇蘭穹，碧壇自肅，玉水不窮，……蘭風寓憩，已勒豐碑，此土舊居。」

按：晉書葛洪傳不載隱居蘭風山事。蘭風，山名，一名蘭芎山，或名蘭峯，在浙江省上虞縣西北二十五里。據陶弘景吳太極左仙公葛公之碑，葛洪從祖葛玄嘗隱於此而後仙去。故葛洪效其從祖，亦曾以之爲其棲隱處。惟據太平寰宇記引會稽錄「昔葛洪隱於蘭芎山，後於此仙去」，因葛洪係在廣州羅浮山「昇天」，是以會稽錄所指之「葛洪」，當爲「葛玄」之誤。

冬，十二月，將軍郭默殺江州刺史劉胤。

溫嶠卒。

晉成帝咸和五年庚寅（西元三三〇年）　四十八歲

夏，五月，太尉陶侃討郭默，斬之。

庾亮卒。

鄧嶽始爲廣州刺史。

△晉書卷八十一鄧嶽傳：「郭默之殺劉胤也，大司馬陶侃使嶽率西陽之衆討之。默平，遷督交廣二州軍事、建武將軍、領平越中郎將、廣州刺史、假節。」

△資治通鑑卷九十五、晉紀十六、成帝咸和五年：「夏，五月，……（陶）侃斬默于軍門，傳首建康，同黨死者四十人。詔以侃都督江州，領刺史；以鄧岳（晉書鄧嶽傳：「本名岳，以犯康帝諱，改爲嶽，後竟改名爲岱焉。」）督交、廣諸軍事，領廣州刺史。」

晉成帝咸和六年辛卯（西元三三一年）　四十九歲

晉成帝咸和七年壬辰（西元三三二年）　五十歲

聞交阯產丹，欲祈遐壽，請爲句漏令。帝不許，再求乃准，因率子姪南下。至廣州，爲刺史鄧嶽強留，乃止於羅浮山，從事煉丹。

其後，嶽表洪補東官（依晉書卷十五、地理志下，成帝時，分南海郡另立東官郡）太守，又辭不肯就。

洪在山積年，優游閑養，著述不輟。

△晉書卷七十二葛洪傳：「干寶深相親友，薦洪才堪國史，選爲散騎常侍，領大著作，洪固辭不就。以年老，欲煉丹以祈遐壽。聞交阯出丹，求爲句漏令。帝以洪資高，不許。洪曰：『非欲爲榮，以有丹耳。』帝從之。洪遂將子姪俱行。至廣州，刺史鄧嶽留不聽去，洪乃止羅浮山煉丹。嶽表補東官太守，又辭不就。嶽乃以洪兄子望爲記室參軍。在山積年，優游閑養，著述不輟。」

△太平寰宇記卷一百六十引袁宏羅浮記：「干寶薦洪才器宜掌國史，當選大著作，洪因固辭不就。以年老，欲煉丹自衞。聞交阯出丹砂，乃求句漏縣，於是選焉。遂將子姪俱行。至廣州，刺史鄧岱以丹砂可致，請留之，洪遂復入此山煉神丹。」

△太平御覽卷六百六十四引晉中興書：「葛洪赴岣嶁令，行至廣州，其刺史鄧岳留不聽去。洪乃止羅浮山中，煉丹積年。」

△古今圖書集成方輿彙編山川典卷一百八十九「羅浮山部彙考」引羅浮山記：「朱明洞南有沖虛觀……晉咸和中，葛洪至此以煉丹。從觀者衆，乃於此置四庵。……其右曰葛仙祠，祠後有丹竈，其泥取之不竭。」

按：一、句漏，或作句屚、勾漏、岣嶁、苟屚、笱屚、苟漏，因句漏山而得名。山在廣西省北流縣東北。漢置句漏縣，屬交阯郡。

二、鄧嶽初任廣州刺史，時在成帝咸和五年（見本年譜「四十八歲」），故葛洪求爲句漏令，當在咸和五年之後。據羅浮山考，洪係在「咸和中」再至羅浮山，從事煉丹。今依日人下見隆雄葛洪略歷，將葛洪復至羅浮山煉丹，定於咸和七年，應屬確當。

三、葛洪爲鄧嶽所強留，而止於羅浮山，實因山中亦產「丹砂」（即羅浮山記所言「取之不竭」之「泥」）。蓋「丹砂」乃煉丹之主要原料也。

晉成帝咸和八年癸巳（西元三三三年）　五十一歲

秋，七月，後趙石勒死，石聰降。

晉成帝咸和九年甲午（西元三三四年）　五十二歲

夏，六月，太尉長沙公陶侃卒。

晉成帝咸康元年乙未（西元三三五年）　五十三歲

晉成帝咸康二年丙申（西元三三六年）　五十四歲

冬，十月，廣州刺史鄧嶽襲夜郎，克之。

晉成帝咸康三年丁酉（西元三三七年）　五十五歲

晉成帝咸康四年戊戌（西元三三八年）　五十六歲

晉成帝咸康五年己亥（西元三三九年）　五十七歲

三月乙丑，廣州刺史鄧嶽伐蜀，克之。

秋，七月，庚申，丞相始興公王導卒。

晉成帝咸康六年庚子（西元三四〇年）　五十八歲

晉成帝咸康七年辛丑（西元三四一年）　五十九歲

春，二月，封慕容皝爲燕王。

夏，四月，詔正「土斷、白籍」。時王公庶人多自北來，僑寓江左；今皆以土著爲斷，著之白籍也。（「土斷」者，謂以土著爲標準，以定戶籍，使民安其居也；「白籍」者，將戶口資料登之於版籍也。）

晉成帝咸康八年壬寅（西元三四二年）　六十歲

會稽虞喜因宣夜之說作安天論，葛洪聞而譏之。

△晉書卷十一天文志上「天體」：「成帝咸康中，會稽虞喜因宣夜之說作安天論，……葛洪聞而譏之曰：……。由此而談，稚川可謂知言之選也。」

按：宣夜，古算法之一。書堯典：「在璿璣玉衡，以齊七政。」疏：「蔡邕天文志云：『言天體者有三家，一曰周髀，二曰宣夜，三曰渾天。宣夜絕無師說。』虞喜云：『宣，明也；夜，幽也。幽明之數，其術兼之，故曰宣夜。』但絕無師說，不知其狀如何。」

會稽虞喜著安天論，在成康中，成康共八年，未必即爲成康初年。且自會稽至葛洪隱居羅浮山之葛洪「聞而譏之」，時間上必有差距，故將之厠於斯年。

晉康帝建元元年癸卯（西元三四三年）六十一歲

葛洪居羅浮山有年，一日，與廣州刺史鄧嶽書，云：當遠行尋師、藥，尅期便發。嶽得書，心知有異，往別，而洪已亡。時建元元年三月三日，享年六十有一。亡後，視其顏色如生，體亦柔軟，入棺，輕如空衣，時咸以爲尸解得仙云。

「昇天」之日，且將受自其師鄭隱之「靈寶經」（依武進縣志）、「三洞眞經」（依眞一自然經及雲笈七籤「三洞」），授於弟子安海君、望世等人。

△晉書卷七十二葛洪傳：「後忽與（鄧）嶽疏云：『當遠行尋師，尅期便發。』嶽得疏，狼狽往別，而洪坐至日中，兀然若睡而卒，嶽至，遂不及見。時年八十一。視其顏色如生，體亦柔軟，舉尸入棺，甚輕，如空衣，世以爲尸解得仙云。」

△太平御覽卷六百六十四引晉中興書：「忽與岱（即鄧嶽）書，當遠行尋藥。岱得書，徑往別，而洪已亡，年八十一。顏色如平生，入棺，輕如空衣，尸解而去。」

△太平御覽卷四十一引晉中興書：「葛洪上羅浮山中煉丹，在山積年，忽與廣州刺史鄧嶽書云：『當欲遠行。』岱得書狼狽，而洪已亡，顏色如平生，體輕弱如空衣，時咸以爲神仙。」

△藝文類聚卷七十八引晉中興書：「葛洪字稚川，亡時年八十一。視其貌如平生，體亦軟弱，舉屍

入棺，其輕如空衣，時咸以爲尸解得仙。」

△太平寰宇記卷一百六十引袁宏羅浮記：「於此山積年，忽與岱書云：『當遠行尋師、藥，尅期當去。』岱疑其異，便狼狽往別。既至，而洪已死。時年六十一。視其顏色如平生，體亦柔軟。擧屍入棺，甚輕，如空衣然也。」

按：依晉書葛洪傳及太平御覽所引晉中興書，葛洪享壽八十有一（晉武帝太康四年，西元二八三年——東晉哀帝興寧元年，西元三六三年）；若依太平寰宇記所引袁宏羅浮記，則其享年六十有一（晉武帝太康四年，西元二八三年——東晉康帝建元元年，西元三四三年），兩說相去二十年。

△資治通鑑卷九十四、晉紀十六、成帝咸和五年：「詔以（陶）侃都督江州，領刺史；以鄧岳督交、廣諸軍事，領廣州刺史。」

△資治通鑑卷九十五、晉紀十七、成帝咸康二年：「冬，十月，廣州刺史鄧岳遣督護王隨等擊夜郎、興古，皆克之。加岳督寧州。」

△資治通鑑卷九十六、晉紀十八、成帝咸康五年：「三月，乙丑，廣州刺史鄧岳將兵擊漢寧州，漢建寧太守孟彥執其刺史霍彪以降。」

△晉書卷八十一鄧嶽傳：「鄧嶽字伯山，陳郡人也。本名岳，以犯康帝諱，改爲嶽，後竟改名爲岱焉。」

按：依晉書葛洪傳、晉中興書、羅浮記，均謂葛洪死時，廣州刺史爲鄧嶽。今據資治通鑑晉紀十六、十七、十八：鄧嶽出領廣州刺史在咸和五年（西元三三〇年）；咸康二年（西元三三六年），鄧嶽仍以廣州刺史，遣督護王隨等擊夜郎、興古，事平，加嶽督寧州；咸康五年（西元三三九年），亦以嶽爲廣州刺史，將兵擊漢寧州。是以咸康五年之前，鄧嶽猶領廣州刺史也。又晉書鄧嶽傳「本名岳，以犯康帝諱，改爲嶽」云云，足見康帝時（西元三四三年——三四四年），鄧嶽仍在世也。

△晉書卷九十七林邑國傳：「至永和三年，（范）文率其衆攻陷日南，害太守夏侯覽，……遂據日南。……明年（指穆帝永和五年，西元三四九年），征西督護滕畯率交、廣之兵伐文於盧容，爲文所敗，退次九眞。其年，文死，子佛嗣。升平（穆宗年號，自西元三五七至三六一年）末，廣州刺史滕含率衆伐之。佛懼，請降，含與盟而還。」

△資治通鑑卷九十八、晉紀二十、穆宗永和五年：「桓溫遣督護滕畯帥交、廣之兵擊林邑王文於盧容，爲文所敗，退屯九眞。」

△晉書卷八穆帝紀：「升平……五年（西元三六一年），……二月，……平南將軍、廣州刺史、陽夏侯滕含卒。」

按：一、自晉書林邑國傳及通鑑晉紀二十所載，穆宗永和三年（西元三四七年），林邑國范文攻陷日南；永和五年（西元三四九年），又大敗晉將滕畯所率交、廣之兵於盧容。惟均未提及鄧嶽督戰事，疑其時嶽或已去職、或已棄世。復依晉書穆帝紀暨林邑國傳，得知滕含於穆宗升平五年（西元三六一年）以前，已膺廣州刺史。換言之，鄧嶽至遲於是年之前已離廣州刺史之職矣！然則依六十一歲之說，定葛洪死於建元元年（西元三四三年），似較合理。

二、依清萬斯同東晉方鎮年表暨吳廷燮東晉方鎮年表：晉成帝咸和五年五月，鄧嶽復爲西陽太守，平郭默之亂，遷督交、廣二州諸軍事、建武將軍、平越中郎將，始領廣州刺史；至康帝建元二年嶽卒，其弟逸代之，共歷十五年。據此，則太平寰宇記謂洪卒年六十一之說爲是。

三、魏晉之際，戰亂頻仍，士人嗜服丹石，命多不融。葛洪自五十歲入廣州羅浮山煉丹，至六十一歲時，或已服藥十一年，自亦無法高壽。況葛洪自敍篇云「稟性尪羸，兼之多疾」，是以八十一歲之說，殊不可信。

四、古籍中「六」字，或因殘蝕，失其上半而成「八」字。葛洪享年「六十一」，或因之而誤作「八十一」耳。

由以上考證，斷定葛洪生於晉武帝太康四年，卒於晉康帝建元元年，年六十一。

△清錢大昕疑年錄卷一：「葛稚川八十一，卒晉咸和。」

按：錢大昕疑年錄謂葛洪卒於咸和中，未知何據，不足採信。

△雲笈七籤卷六：「時太極眞人徐來勒與三眞人，以己卯年正月降天台山，傳靈寶經以授葛玄。玄

傳鄭思遠。思遠以靈寶及三洞諸經付玄從弟少傳奚。奚付子護軍悌。悌付子洪，洪卽抱朴子也。又於馬跡山詣思遠，告盟奉受。洪又於晉建元二年三月三日，於羅浮山付弟子海安君、望世等。後從孫巢甫，晉隆安元年傳道士任延慶、徐靈期，遂行於世。」

△正統道藏太平部「諸」字號、道教義樞卷二「三洞義第五」引眞一自然經：「仙公昇天，合以所得三洞眞經，一通傳弟子，一通藏名山，一通付家門子孫，與從弟少傳奚，奚子護軍悌，悌子洪。洪又於馬迹山詣思遠盟受。洪號抱朴子，以晉建元二年三月三日於羅浮山付弟子海安君、望世等，至從孫巢甫，以晉隆安之末，傳道士任延慶、徐靈期之徒。相傳於世，于今不絕。」

按：由道家傳例及此二文之上下文例觀之，眞人傳「經」（若靈寶經、三洞眞經）弟子時，卽眞人「昇天」之日。上引兩則資料，言葛洪於建元二年以「經」付弟子望世等。是年當卽其「昇天」之時。

前已論定葛洪當卒於建元元年，享年六十有一，而此復言葛洪於「建元二年昇天」者，或以年歲虛實之差，逆算有別耳。若羅浮記記六十一歲之說，係就足歲言，卽卒年爲建元二年，此說亦不無可信。

△雲笈七籤「三洞」卷六：「徐來勒等三眞，以己卯年正月一日，日中時，於會稽上虞山傳仙公葛玄。玄字孝先，後於天台山傳鄭思遠、竺法蘭、釋道微。道微傳吳主孫權等。仙公昇化，令以所得三洞眞經，一通傳弟子，一通藏名山，一通付家門子孫與從弟少傳奚。奚子護軍悌，悌子洪。

洪又於馬迹山詣思遠，盟而授之。洪號曰抱朴子。抱朴以建元六年三月三日，於羅浮山（疑以下有脫落）。隆安之末，傳道士任延慶、徐靈期之徒。相傳于世，于今不絕。」

按：康帝「建元」年號僅二年耳，故「建元六年」云云，或爲後世傳刻錯誤所致也。

△羅浮志卷一：「朱明洞在沖虛觀後。道書云：『朱眞人所治，榛棒不可入。觀源洞，一名麻姑洞，一名藥院，在沖虛觀南，葛仙翁洗藥之處。……蝴蝶洞在雲峯巖下，洞多蝴蝶，相傳葛仙遺衣所化。」

△古今圖書集成方輿彙編山川典卷一百八十九「羅浮山部彙考」：「朱明洞在羅山中麓，道書謂之第七洞。……觀桃洞在朱明洞之南，一名麻姑洞，葛洪洗藥之所。……蝴蝶洞，古木交蔭，四時出彩蝶，世傳葛洪遺衣所化。……朱明洞南有沖虛觀。（羅浮）山記云：『卽都虛觀故址。晉咸和中，葛洪至此以煉丹。從觀者衆，乃於此置四庵。……洪沒，唐天寶初置守祠十家，仍度道士二人。南漢鑄銅玉皇像及二侍從像。元祐二年賜額，內有葛洪祠、葛洪丹竈，東坡書四大字。前有玉簡亭，以覆永樂中所賜玉簡。嘉靖初，從博羅縣道會司於此。』……其右曰葛仙洞，祠後有丹竈，其泥取之不竭。（羅浮）山記云：『正座塑葛洪，旁有黃野人侍立。』」

按：據羅浮志暨古今圖書集成引羅浮山記，羅山中麓，朱明洞南，有沖虛觀，卽葛洪當年煉丹之處。葛洪煉丹，因從觀者衆，乃置四庵，其南曰都虛。唐天寶年間於都虛庵內設葛洪祠。祠後有丹竈，其泥取之不竭。祠中正座塑葛洪像，旁塑黃野人侍立。又傳：山中另有蝴蝶洞，四時出彩蝶，乃葛洪遺衣所化也。在朱明洞南，有觀桃洞，相傳乃當年葛洪洗藥之所。

以上各項遺址及傳說，均足以佐證葛洪確曾「煉丹」「仙化」於羅浮山中也。

△句容縣志卷四「古蹟志」：「葛洪墓在縣治西一里許。洪卽葛玄之孫。」

按：葛洪仙化於羅浮山，史有明證。句容縣志云「葛洪墓在縣治西一里許」者，殊不可信。

第三章　葛洪之生平

葛洪，字稚川，丹楊句容都鄉吉陽里人（註一）。生於西晉武帝太康四年（西元二八三年），卒於東晉康帝建元元年（西元三四三年），享年六十一。其曩祖本爲荊州刺史（註二），爲王莽迫徙琅邪（註三），故史傳或稱其爲琅邪人（註四）。東漢初，葛洪九世從祖、驃騎大將軍、下邳僮縣侯浦廬，讓國於弟文（梁陶弘景吳太極左仙公葛公之碑「文」作「艾」），適丹楊句容，見其山水秀麗，風俗淳厚，因居焉（註五）。

洪自謂先世出自「葛天氏」，食封葛地，遂以國爲姓；或謂本姓賀葛氏，改爲葛氏；或謂本姓諸葛，遠祖定籍句容而歎曰：「獨身在此，何諸之有？」故去「諸」存「葛」而爲姓氏（註六）。

祖先世代官宦（註七）。祖父諱奚，學無不涉，有經國之才，仕吳，歷宰海鹽、臨安、山陰、臨沅等縣。入爲吏部侍郎、御史中丞、廬陵太守、吏部尚書、太子少傅、中書、大鴻臚、侍中、光祿勳、輔吳將軍，封吳壽縣侯（註八）。從祖玄好神仙、修煉之術，頗稱譽於時，吳人咸稱之爲「葛仙公」或「太極左仙翁」（註九）。

父諱悌，以孝友聞，行爲士表，仕吳，任五官郎中正、建城南昌二縣令、中書郎、廷尉、平中護軍，再拜會稽太守。入晉後，除郎中，遷太中大夫，歷位大中正、肥鄉令、邵陵太守，恩洽刑清，野有頌聲。晉元帝元康五年（西元二九五年），卒於官（註十）。

葛洪乃悌之季子也。以其父晚年得子，深受寵愛，不知早讀書史。十三歲喪父，頓失庭訓，遂陷於饑寒困頓之境，不得已而躬執耕稼（註十一）。

洪孤苦既久，頗知發憤。惟家藏典籍，遭兵燹蕩盡，乃於農暇之際，負笈徒步行借。「時或尋書問義，不遠數千里崎嶇冒涉，期必於得」（註十二）。更伐薪以貿紙筆，抄書誦習。日積月累，正經諸史、百家之言，以至短雜文章，無不熟諳（註十三）。年十五、六，始作詩、賦、雜文，自以爲佳甚，且欲精治五經，著一子書，令後世知其爲文儒！

洪束髮從鄭隱學神仙導養之術，獨覽道籍，盡閱祕傳，始有入山修持之意。鄭隱，洪從祖葛仙公之弟子也。吳時，從祖玄學道得仙，曾以鍊丹祕術授隱。數年之間，洪就隱學，悉得其法焉（註十四）。惟洪「年尚少壯，意思不專，俗情未盡」，於道學「不能大有所得」（註十五）。

葛洪此時，雖從鄭隱學道，仍繼續窮涉儒家典籍，博覽經史子書近萬卷，冀以儒學知名，成一家之說（註十六），而於道學圖緯、星算之屬，全無興趣。

晉世鼎沸，壯志難酬，故於學道學儒之餘，乃傾心兵術之修鍊。蓋兵術足以「保衛桑梓」「當全獨勝」；亦足以鍛練身體、獵取鳥獸。葛洪論兵，殊爲深入，且時具獨特之見解。論良將，曰「如收電，可見不可追」；如丘立，「可瞻不可動」；論軍術，曰「地生瓦礫，不去不禍」。更以「鳴葉」、「鳴條搖枝」、斷「大枝」、「仆大木」、「折大木」，以定風力大小，作爲「用兵之要」（註十七）。惟其於兵學研究，常涉神異之說，如「扶搖獨鹿之風大起軍中，軍中必有反者」、「辟兵之道」，「作赤靈符着心前」、「軍始出，雨沾衣者有軍功；雨不及沾衣裳，必敗」、「軍上氣黑如樓」、「移軍必敗」、「觀雲如走鹿形者，敗軍之氣也」、「鳥集將軍之旗，將軍增官。鳥集軍中，莫知其名，軍敗也」、「金丹以塗刀，辟兵萬里」、「霜氣圍城，外兵得入」、「霜氣內出，主人出戰」（註十八）。此或與日後修煉神仙之術，不無關係（註十九）。

　葛洪弱冠前後，所學龐雜，性向淆亂，一則求入世之方，學儒術、習兵法；一則有出世之念，修仙道、慕隱逸。此時，葛洪悔其少作詩賦、雜文，殊不稱意，乃棄十不存一；且已着手草創子書（註二十）。

　晉惠帝太安三年，張昌作亂，葛洪恐桑梓陷賊，乃奉義軍大都督吳興太守顧祕之召，出任將兵都尉，大破昌之別將石冰。屢建奇功，遷伏波將軍（註二十一）。賊平，卸甲，了不論戰功，欲徑詣洛陽索求奇書。值陳敏作亂，北道不通，欲返故里不得，遂周旋於徐、豫、荊、襄、江、廣數州之間（註二十二）。

　晉惠帝光熙元年，鎭南將軍劉弘任葛洪故友嵇含爲廣州刺史，洪因含之薦爲其參軍，先行至廣州。後以嵇含被害，洪遂絕意仕途，羈留南土數年（註二十三）。葛洪滯淹廣州，絕意仕進；隱居羅浮山，與南海太守鮑靚相善，時或語論達旦，旋師事鮑靚。靚於洪甚爲器重，因授以石室三皇文，且以女鮑姑妻之（註二十四）。愍帝建興二年，葛洪返里閒居。嘗與餘杭令顧颺偕往大辟山訪隱士郭文。郭文，字文舉，河內軹人也。其人有神通之術，能辨吉凶、知未來（註二十五）。返鄉之初，州郡屢禮辟，皆不赴。建興三年，琅邪王司馬睿爲丞相，招延掾屬百餘人，時人謂之「百六掾」，葛洪因亦被辟爲丞相府掾（註二十六）。二年後，愍帝降劉曜，琅邪王承制，卽晉王位於建康，改元建武。以葛洪前曾破石冰有功，賜爵關中侯，食句容邑二百戶（註二十七）。

洪旣絕仕進，乃思成名山之業，立一家之言。於是整理餘稿，埋首著述。葛氏自十五、六歲，已作詩賦、雜文；迨二十歲，學業精進，涉世稍深，曾毀其少作。至三十五歲，撰成抱朴子內篇（言神僊、方藥、鬼怪、變化、養生、延年、禳邪、却禍之事，屬道家）二十卷、外篇（言人間得失、世事臧否，屬儒家）五十卷，碑頌、詩賦百卷，軍書、檄移、章表、箋記三十卷，神僊傳十卷，隱逸傳十卷（註二十八）。

葛氏博學多聞，凡有著作，必析理入微，精覈是非。至於材料之收集，篇章之敷衍，亦必力求其富贍（註二十九）。今見抱朴子內篇十九遐覽篇，羅列當世所見道經書目；洵屬後日研析東晉初道書總錄之罕見素材。他若辭藻雕飾，常不顧及（註三十）。其爲文也，非無斟酌文句之才，惟生性疏懶，未能多作推敲耳（註三十一）！其撰寫內篇，「粗舉長生之理」（註三十二），蓋欲好事者倉卒間不致無所依從，修爲者疑慮時有所諮問而已（註三十三）。因恐後世好奇賞眞之信道者，惑於鄙俗道士之臆斷妄說，故勤勤綴於翰墨，以示「道」意焉（註三十四）。

葛洪爲一閉戶研讀、靜持修煉、不問聞世事之隱士，於國計民生、賑乏濟人之事，亦非全不關注。若晉陵郡內史張闓，於晉元帝太興四年興建曲阿新豐塘，溉田八百餘頃，以釋四縣災旱之苦。葛洪聞之，作頌贊美（註三十五）。

咸和元年，葛洪或因鄉有荒飢，家道迍否，感於生活迫困，乃受司徒王導之召，補州主簿；旋轉司徒掾，再遷諮議參軍。蓋此二職同屬「諮議」「顧問」性質，乃受而不辭。尋識干寶。寶以其才堪史職，乃薦修國史，選爲散騎常侍、領大著作。惟葛洪以質性所囿，固辭未就（註三十六）。

葛氏除二十一歲時，張昌作亂，爲顧及家邑安危，受檄任將兵都尉；二十四歲時，應故人嵇含之邀，任參軍之職，雖與性所相左，然以天下擾攘，利可避地於南，故勉予接受；三十三歲時，被辟爲丞相府掾，因此職純爲儲才養士之用，或無經常工作，故未堅辭；三十五歲時，司馬睿即晉王位，詔賜關中侯，雖曾上書推讓，奈事關大例，未獲允准；四十四歲時，受王導之召，補州主簿，轉司徒掾，又遷諮議參軍；此外，未曾出仕。蓋葛洪素有隱居山林之志，自度性懶才短，既不能致名位，冤患累，未若遂本志，委桑梓，適嵩岳，以修赤松子、王子喬之道；立志登名山，服食養性，以尋王方平、梁公之軌（註三十七）。

咸和三年，郭文死。洪敬仰其人有「未卜先知」之術，於與庾闡爲文作傳贊頌之餘（註三十八），因感人生無常，乃效其從祖玄故事，棲隱浙江上虞蘭風山，潛心修持（註三十九）。迨聞交阯產丹，遂求爲句漏令，俾便煉丹，以祈遐壽。洪於年少時，嘗聞其師鄭隱言，丹可煉精，精能生丹，而此丹乃諸藥之精，服之，可以致神仙也（註四十）。帝以其資高，不許；再求乃准。於是率子姪南下，至廣州。爲刺史鄧嶽所留，遂止於羅浮山，從事煉丹修道。此時，仍著述不輟。洪居南土時，鄧嶽嘗表洪補東官太守，又辭不肯就（註四十一）。洪於山中優游閑養，十年有奇。一日，忽與廣州刺史鄧嶽書作別，云：當遠行尋師、藥，尅期便發。嶽得書，知其有異，往別，未至，而洪已若睡而卒（四十二）。

葛洪尫羸多疾，形陋貌寢，爲人木訥，兼之冠履垢弊，衣或繿褸，人或不恥焉。其於服物，因變不勝變，故無損者未嘗易之，雖見笑於世，不以爲迕。居屋不免漏，飲食不充虛，聲名不出戶，而洪不憂也（註四十三）。

其爲人也，期於守常，不隨世變，言則率直，止於所知，故鄉人咸稱之爲「抱朴之士」。素性不好榮利，用世未合時宜。沈抑婆娑，行舛於世。洪以貧無車馬，而又不堪徒行，行亦性所不好，故遂閉門却掃，未嘗交遊。因是撫筆閑居，守華門而無所趨從。復以其洞徹世情，平居不妄議人長短，雖權豪密跡而莫或相識；雖於長官不曉謁亦不修見，權豪、官長對之，未嘗生恨，因是得以自保（註四十四）。

一般而言，洪雖體乏進趣之才，亦偶好無爲之業。以其能絕慶弔於鄉黨，棄榮華於當世，終得以登名山，成子書，合神藥，規長生也（註四十五）。晉書葛洪傳贊曰：「稚川優洽，貧而樂道。」誠哉斯言！

洪雖患窮，不以物累。非己分內，則纖介不取；或得賞賜，必以分人（註四十六）。受人之施，終必有報；而濟人之困者，皆不使人知；有匱其窮急者，非類亦不妄受（註四十七）。苟有旬日之儲，必分以濟人之乏（註四十八）。雖染道家仙隱之氣，實深具儒家熱心世事之胸懷。雖出諸名門世家，亦無世俗尊卑之念存焉（註四十九）。

葛洪少時讀孝經、論語、詩、易，並博覽史籍百家之言，近萬卷；惟於河洛、圖緯、星書、算術、九宮、三棊、太一、飛符之屬，以其苦人而乏味，未多加深究。足見此時葛洪讀書，雖已旁及道家祕笈，惟仍以儒學爲重也。稍後，其於風角、望氣、三元、遁甲、六壬、太一等術，因皆屬用事範圍，自以謂無急急於自勞之必要，故僅粗領其旨，未作精研，蓋自認爲不若子書之有益也（註五十）。此時，葛洪於方術雖未深入鑽研，然衷心已甚爲喜好，每常負步請問，不憚險遠，若有異聞，則以爲喜。雖因而受人毀笑，亦不以爲戚焉（註五十一）。

自拜鄭隱爲師，數年之間，研讀習見之道書及祕笈甚夥，入山之志於是存焉（註五十二）。鄭師「不徒明五經，知仙道而已，兼綜九宮、三奇，推步天文，河洛、讖記，莫不精研」（註五十三），且傳學仙口訣。葛洪承鄭君之言，學神仙「若不得口訣之術，……無……以示將來之信道者」（註五十四）。

葛洪曾於著述中，予藉道教之名、行逆亂之實，若張角、柳根、王歆、李甲之輩，以嚴厲批評。

其言曰：

「曩者有張角、柳根、王歆、李甲之徒，或稱千歲，假託小術，坐在立亡，變形易說，誑眩黎庶，糾合羣愚，進不以延年益壽爲務，退不以消災治病爲業，遂以招集姦黨，稱合逆亂。」（註五十五）。

言辭之間，似已明示修道之的轂，不外「延年益壽」與「消災治病」二端。所謂「二端」者，終其極，不外成仙成道而已。惟欲達此佳境，第一、必作內省工夫，注重修身養性；第二、求軀體無疾無災，以臻仙道，尤須服食藥物仙丹（註五十六）。如是，葛氏於鑽研道學經典、入山修持之餘，尤重煉丹之術，並及藥學處方（註五十七）。洪從鄭隱學道時，或已受九丹、金銀液經及黃白中經。其師述及黃白煉丹之事，曾爲之言曰：嘗與左元放於廬江銅山，試作有成（註五十八）。洪承師教，於煉丹服藥之效，深信不移，以謂絕非妄語也。惟時貧苦無財力，兼之四境多難、道路梗塞，藥物不可得，故未能合藥以試之耳（註五十九）！

葛洪於抱朴子內篇卷十六黃白篇曾引鄭隱之言曰：

「至於眞人作金，自欲餌服之致神仙，不以致富也。故經曰：金可作也，世可度也，銀亦可餌服，但不及金耳。……又化作之金，乃是諸藥之精，勝於自然者也。仙經曰：丹精生金，此是以丹作金之說也。」

丹砂可以製藥金。藥金爲諸藥之精，勝於自然者，有度人之效。是以葛洪作金，非以致富，乃供人服食，以成仙道者也。

時俗之人多譏葛洪好攻異端，謂其志趣欲強通天下之不可通者（註六十）。究其實在，葛洪乃道家之實用主義者，其一生所求，不外保養身體、成仙成道耳。葛洪以神仙之說，附會於道家哲理之中，以謂經由煉丹、服藥、吐納、修持等途，可使人成仙成道。其年少時，於儒學漬染頗深，故其思想特將儒學融會於道學，而以道爲內，以儒爲外。亦所謂修持以道爲法，治世以儒爲本者也。洪嘗論各家之旨，而歸之於道，其言曰：

「道者，儒之本也；儒者，道之末也。……儒者博而寡要，勞而少功；墨者儉而難遵，不可偏修；法者嚴而少恩，傷破仁義。唯道家之教，使人精神專一，動合無形，包儒墨之善，總名法之要，與時遷移，應物變化，指約而易明，事少而功多，務在全大宗之朴，守眞正之源者也。」（註六十一）

修道成仙之後，或昇天或住地，均無不可，要在長生留住，各從所好而已（註六十二）。葛洪閱流俗道士數百人矣，其中或素享盛名，或著書數十卷，惟覩道術，均無深切研究，不足相傾。嘗以「神丹金液之事及三皇文」「召天神地祇之法」，問諸其人，然無人知之（註六十三）。是以葛洪所攻治之「異端」，殊重「藥物」「煉丹」二項，自與其他道家所從事者有所差異。葛洪醫學著作甚夥，詳見其「著作考」，無待贅言。吾人所宜注意者，葛氏驗方於民間之影響殊爲深遠，如於七百餘年後，宋詩人梅堯臣集卷四十一有注曰：「葛洪『治赤日翳膜方』；訶子一枚以蜜；口磨，注目中。」

可以爲證（註六十四）。

葛洪於抱朴子內篇卷十五雜應篇有言：

「仰觀天文，俯察地理，占風氣，布籌筭，推三棊，步九宮，檢八卦，考飛伏之所集，診訞訛於物類，占休咎於龜筴，皆下術常伎，疲勞而難恃。」

葛洪以爲道家之「下術常伎」，均屬「疲勞」（意卽難於學習）「難恃」（意卽無可憑信）之術，故萌入山之志，乃行修遁甲書六十餘卷，雖以爲不可卒精，仍鈔集其要，以爲囊中立成（註六十五）。此外，其於河洛、算術、九宮、三棊、飛符、風角、望氣之屬，了不從焉。葛洪因煉丹入迷，常作神怪之說（註六十六）。不僅此也，其於植物之生長（註六十七）、動物之生尅（註六十八），亦頗致意焉。

註一：晉書卷七十二葛洪傳：「葛洪，字稚川，丹楊句容人也。」抱朴子外篇卷五十自敍篇：「抱朴子者，姓葛，名洪，字稚川，丹陽句容人也。」梁陶弘景吳太極左仙公葛公之碑：「仙公姓葛，諱玄，字孝先，丹陽句容都鄉吉陽里人也。」按：「丹楊」亦作「丹陽」。據宋樂史太平寰宇記卷八十九：「以邑界楊樹生丹以爲名，故今字從木爲稱。」依晉書卷十五地理志下，丹楊郡名，屬揚州，漢置，統縣十一，句容（今縣名，屬江蘇省，在江寧縣東南）其一也。句容縣志卷一「形勝」：「句容縣有句曲山，山形如巳字，勾曲而有所容。」

註二：轄今湖南、湖北二省地，治在今湖北省襄陽縣。

註三：抱朴子外篇五十自敍篇：「洪曩祖爲荆州刺史。王莽之篡，君恥事國賊，棄官而歸，與東郡（郡治在今湖北省濮陽縣）太守翟義共起兵，將以誅莽，爲莽所敗，遂稱疾自絕於世。莽以君宗強，慮終有變，乃徙君於琅邪。」琅邪，郡名，亦作瑯邪、瑯琊、郡治在今山東省諸城縣東南。

註四：太平御覽卷六百六十三引列仙傳：「葛洪，字稚川，琅邪人。」正統道藏「淡」字號、歷世眞僊體道通鑑卷二十三「葛仙公」；「仙公姓葛，名玄，字孝先，家本瑯琊。」

註五：抱朴子外篇卷五十自敍篇：「君（指洪之「纍祖」）之子浦廬（即葛洪九世從祖），起兵以佐光武，有大功。光武踐阼，以廬爲車騎，又遷驃騎大將軍，封下邳僮縣侯，食邑五千戶。開國初，侯之弟文，隨侯征討，屢有大捷。侯比上書爲文訟功，而官以文私從兄行，無軍名，遂不爲論。侯曰：『弟與我同冒矢石，瘡痍周身，傷失右眼，不得尺寸之報，吾乃重金累紫，何心以安？』乃自表乞轉封於弟。書至上請報，漢朝欲成君高義，故特聽焉。文辭不獲已，受爵即第，爲驃騎營立宅舍於博望里，于今基兆石礎存焉。又分割租秩以供奉吏士，給如二君焉。驃騎殷勤止之而不從。驃騎曰：『此更煩役國人，何以爲讓？』乃託他行，遂南渡江而家于句容。子弟躬耕，以典籍自娛。文累使奉迎驃騎，驃騎終不還。又令人守護博望宅舍，以冀驃騎之反，至于累世，無居之者。」正統道藏「淡」字號、歷世眞僊體道通鑑卷二十三「葛仙公」：「仙公姓葛，名玄，字孝先，家本瑯琊。世傳簪組高祖廬爲漢驃騎大將軍，封下邳侯，後讓國與弟文，托（疑「托」字衍）遂南遊江左，逍遙丘壑。適丹陽句容，見其山水秀麗，風俗淳厚，深合雅意，……因是同居焉。」正統道藏「虞」字號、梁陶弘景吳太極左仙公葛公之碑：「本屬琅琊，後漢驃騎僮侯廬讓國於弟，來居此土。七代祖艾，即驃騎之弟，襲封僮侯。」

註六：抱朴子外篇卷五十自敍篇：「其先葛天氏，蓋古之有天下者也。後降爲列國，因以爲姓焉。」東漢應劭風俗通義佚文：「葛氏，葛天氏之裔。」（見通志氏族略）南宋鄭樵通志氏族略第二：「葛氏，夏時諸侯。……　子孫以國爲姓。」正統道藏洞眞部「淡」字號、歷世眞僊體道通鑑卷二十三「葛仙公」：「其先裔出葛天氏，食封于葛，遂以國爲姓。」北齊魏收魏書卷一百一十三官氏志：「賀葛氏，後改爲葛氏。」古今圖書集成氏族典卷五一八「葛姓部彙考」引淩廸知萬姓統譜：「葛氏有三：嬴姓之後，以國爲氏；又葛天氏之後，亦爲葛氏；後魏賀葛氏改爲葛。」正統道藏洞玄部「虞」字號、太極葛仙公傳引金陵誌：「列仙傳曰：『本姓諸葛，遠祖征江漢，次丹陽之句容，因止而歎曰：「獨身在此，何諸之有？」葛姓始此。』」

註七：抱朴子內篇卷四金丹篇：「余忝大臣之子孫。」抱朴子外篇卷五十自敍篇：「洪纍祖爲荆州刺史。………君（指「纍祖」）之子浦廬，起兵以佐光武，有大功，光武踐阼，以廬爲車騎，又遷驃騎大將軍，封下邳僮縣侯，食邑五千戶。」正統道藏洞玄部「虞」字號、吳太極左仙公葛公之碑：「祖（按即葛洪之三世祖）矩，安平太守，黃門郎。從祖彌，豫章等五郡太守。父（按即葛洪之三世祖）焉，字德，儒州主簿、山陰令、散騎常侍、大尚書。代載英哲，族冠吳史。」

註八：抱朴子外篇卷五十自敍篇：「洪祖父學無不涉，究測精微，文藝之高，一時莫倫。有經國之才，仕吳，歷宰海鹽、臨安、山陰三縣，入爲吏部侍郎、御史中丞、廬陵太守、吏部尙書、太子少傅、中書、大鴻臚、侍中、光祿勳、輔吳將軍，封吳壽縣侯。」抱朴子內篇卷十一仙藥篇：「余亡祖鴻臚少卿，曾爲臨沅令。」太平御覽卷七百二十、卷九百八十五引抱朴子：「余祖鴻臚，少時嘗爲臨沅令。」晉書卷七十二葛洪傳：「祖系，吳大鴻臚。」三國志卷二十賀邵傳：「近鴻臚葛奚，先帝舊臣。」正統道藏太平部「諸」字號、道教義樞卷二「三洞義第五」引眞一自然經：「仙公（指「葛玄」）昇天，合以所得三洞眞經，一通傳弟子；一通藏名山；一通付家門子孫，與從弟少傅奚，奚子護軍悌，悌子洪。」按：葛洪自敍篇言及其先祖、先君，依例諱不書名。故其祖父，三國志賀邵傳、眞一自然經作「奚」；晉書葛洪傳作「系」。依廣韻上平十二齊「奚，胡雞切」、去聲十二霽「系，胡計切」，以其雙聲、韻部僅「平」「去」有別，故「奚」「系」當可通借。是以「祖系」「鴻臚葛奚」「少傅奚」，皆指洪之祖也。

註九：晉書卷七十二葛洪傳：「從祖玄，吳時學道得仙，號曰『葛仙公』。」古今圖書集成博物彙編神異典卷二百三十四、神仙部列傳十一引天台縣志：「（葛）玄，丹陽人，字孝先，洪之從祖。嘗入赤城山學道，後尸解而去，爲太極左仙翁。宋政和中封冲應眞人。」

註十：抱朴子外篇卷五十自敍篇：「洪父以孝友聞，行爲士表，方册所載，罔不窮覽。仕吳五官郎中正，建城南昌二縣令、中書郎、廷尉、平中護軍，拜會稽太守，未辭而晉軍順流，西境不守。博簡秉文經武之才，朝野之論，僉然推君。於是轉爲五郡赴警，大都督給親兵五千，總統征軍，戍遏疆埸。天之所壞，人不能支。故主欽若九有同賓，君以故官，赴除郎中，稍遷至太中大夫，歷位大中正、肥鄉令。縣戶二萬，舉州最治，德化尤異。恩洽刑淸，野有頌聲，路無姦跡。不佃公田，越界如市，秋毫之贈，不入于門。紙筆之用，皆出私財。刑厝而禁止，不言而化行。以疾去官，發詔見用爲吳王郎中令。正色弼違，進可替不。擧善彈枉，軍國肅雍。遷邵陵太守，卒於官。」晉書卷七十二葛洪傳：「父悌，吳平後入晉，爲邵陵太守。」

註十一：抱朴子外篇卷五十自敍篇：「洪者，君之第三子也。生晚，爲二親所嬌饒，不早見督以書史。年十有三，而慈父見背，夙失庭訓，飢寒困瘁，躬執耕穡。」按：由自敍篇「生晚」二字，可推知葛悌生葛洪時，當在中年或中年之後。以六十歲爲常壽，所謂「中年或中年之後」，應指四十歲之後。

註十二：見晉書卷七十二葛洪傳。

註十三：見本年譜「十六歲」所引資料。

註十四：晉書卷七十二葛洪傳：「從祖玄，吳時學道得仙，號曰葛仙公，以其煉丹祕術授弟子鄭隱。洪就隱學，悉得其法焉。」

註十五：見本年譜「十五歲」所引資料。

註十六：見本年譜「十六歲」所引資料。

註十七：太平御覽卷十三引抱朴子：「抱朴子曰：良將如收電，可見不可追。立如丘山，可瞻不可動。」太平御覽卷七十四引抱朴子：「抱朴子曰：軍術曰：地生瓦礫，不去，有不禍。」太平御覽卷九引抱朴子：「用兵之要，唯風爲急。……風高者道遠，風下者道近。風不鳴葉者，十里；鳴條搖枝，百里；大枝，五百里；仆大木，千里；折大木，五千里。」

註十八：太平御覽卷九引抱朴子：「用兵之要，唯風爲急。扶搖獨鹿之風大起軍中，軍中必有反者。」太平御覽卷三十一引抱朴子：「抱朴子曰：或問辟五兵之道。答以五月五日作赤靈符着心前。」太平御覽卷十引抱朴子：「抱朴子曰：軍始發，大風甚，雨起於後；大勝之徵也。軍始出，雨沾衣者，是謂『潤兵』，軍有功。雨不足沾衣裳，是謂『泣軍』，必敗。」太平御覽卷十五引抱朴子：「抱朴子曰：軍上氣黑如樓，將軍移軍必敗。其將勇則氣如火，火勢如張弩，雲如日月，赤氣繞之，所見之地，大勝不可攻也。」太平御覽卷三百二十八引抱朴子：「凡戰，觀雲如走鹿形者，敗軍之氣也。」太平御覽卷九百十四引抱朴子：「抱朴子軍術曰：衆鳥群飛，徘徊軍上，不過三日，有暴兵至焉。鳥聚軍中，將當賞功增秩。鳥集將軍之旗，將軍增官。鳥集軍中，莫知其名，軍敗也。」太平御覽卷三百四十六引抱朴子：「抱朴子曰：金丹以塗刀，辟兵萬里。」太平御覽卷八百七十八引抱朴子：「抱朴子曰：若霜氣有圍城，或入於城，則外兵得入。若霜氣從內出，主人出戰。」

註十九：見本年譜「十七歲」所引資料。

註二十：見本年譜「二十歲」所引資料。

註二十一：見本年譜「二十一歲」所引資料。

註二十二：見本年譜「二十二歲」「二十三歲」所引資料。

註二十三：見本年譜「二十四歲」「二十五歲」所引資料。

註二十四：見本年譜「三十歲」所引資料。

註二十五：見本年譜「三十二歲」所引資料。

註二十六：見本年譜「三十三歲」所引資料。

註二十七：見本年譜「三十五歲」所引資料。

註二十八：見本年譜「三十五歲」所引資料。

註二十九：晉書卷七十二葛洪傳：「凡所著撰，皆精覈是非，而才章富贍。……洪博聞深洽，江左絕倫。著述篇章，富於班馬，又精辯玄頤，析理入微。」

註三　十：抱朴子內篇卷十六黃白篇：「此內篇皆直語耳，無藻飾也。」

註三十一：抱朴子外篇卷五十自敍篇：「他人文成，便呼快意，余才鈍思遲，實不能爾。作文章每一更字，輒自轉勝，但患嬾，又所作多不能數省之耳！」

註三十二：抱朴子內篇序：「今爲此書，粗舉長生之理。……蓋粗言較略，以示一隅。」是以內篇以金丹之說爲主，舉凡金丹，仙藥、黃白、房中、吐納、導引、禁呪、符籙，莫不述其梗概。

註三十三：晉書卷七十二葛洪傳：「道士弘博洽聞者寡，而意斷妄說者衆。至於時有好事者，欲有所修爲，倉卒不知所從，而意之所疑，又無足諮。今爲此書（即指抱朴子內篇而言），粗舉長生之理。其至妙者不得宣之於翰墨，蓋粗言較略以示一隅，冀悱憤之徒省之可以思過半矣。」

註三十四：抱朴子內篇卷十六黃白篇：「所以勤勤綴之於翰墨者，欲令將來好奇賞眞之士，見余書而具論道之意耳。」

註三十五：見本年譜「三十九歲」所引資料。
註三十六：見本年譜「四十四歲」所引資料。
註三十七：抱朴子外篇卷五十自敍篇：「今將遂本志，委桑梓，適嵩岳，以尋方平、梁公之軌。」
註三十八：見本年譜「四十六歲」所引資料。
註三十九：見本年譜「四十七歲」所引資料。
註　四　十：抱朴子內篇卷十六黃白篇：「鄭君答余曰：……眞人作金，自欲餌服之致神仙，不以致富也。……又化作之金，乃是諸藥之精，勝於自然者也。仙經云『丹精生金』，此是以丹作金之說也。」
註四十一：見本年譜「五十歲」所引資料。
註四十二：見本年譜「六十一歲」所引資料。
註四十三：抱朴子外篇卷二十六譏惑篇：「余實凡夫，拙於隨俗，其服物變不勝，故不變，無所損者，余未曾易也。雖見指笑，余亦不理也。」並見抱朴子外篇卷五十自敍篇。
註四十四：見抱朴子外篇卷五十自敍篇。
註四十五：晉書卷七十二葛洪傳：「洪體乏進趣之才，偶好無爲之業。」抱朴子內篇卷四金丹篇：「余所以絕慶弔於鄉黨，棄當世之榮華者，必欲遠登名山，成所著子書，次得合神藥，規長生故也。」
註四十六：抱朴子外篇卷五十自敍篇：「昔太安中，石冰作亂，……洪爲將兵都尉，……曾攻賊之別將，破之日，錢帛山積，珍玩蔽地。諸軍莫不放兵收拾財物，繼轂連擔，洪獨約令所領，不得妄離行陣。士有摭得來者，洪即斬之以徇。……獻捷幕府，於是大都督加洪伏波將軍，例給布百匹。諸將多封閉之，或送還家，而洪分賜將士，及施知故之貧者；餘之十匹，又徑以市肉酤酒，以饗將吏。」
註四十七：抱朴子外篇卷五十自敍篇：「至於糧用窮匱急，合湯藥則喚求朋類，或見濟，亦不讓也。受人之施，必皆久久漸有以報之，不令覺也。非類則不妄受其饋致焉。」
註四十八：抱朴子外篇卷五十自敍篇：「洪所食有旬日之儲，則分以濟人之乏。若殊自不足，亦不割己也。不爲皎皎之細行，不治察察之小廉。」

註四十九：抱朴子內篇卷四金丹篇：「予忝大臣之子孫。」抱朴子外篇卷五十自敍篇：「洪忝爲儒者之末。……村里凡人之謂良守善者，用時，或齎酒餚候洪，雖非儔匹，亦不拒也。」

註　五　十：抱朴子外篇卷五十自敍篇：「其河洛、圖緯，一視便止，不得留意也。不喜星書及算術、九宮、三棊、太一、飛符之屬，了不從焉。由其苦人而少氣味也。晚學風角、望氣、三元、遁甲、六壬、太一之法，粗知其旨，又不研精。亦計此輩率是爲人用之事，同出身情，無急以此自勞役。不如省子書之有益，遂又廢焉。」

註五十一：抱朴子內篇卷四金丹篇：「余少好方術，負步請問，不憚險遠。每有異聞，則以爲喜。雖見毀笑，不以爲戚。」

註五十二：抱朴子內篇卷十七登涉篇：「余少有入山之志。」

註五十三：見抱朴子內篇卷十九遐覽篇。

註五十四：抱朴子內篇卷八釋滯篇：「（學神仙之事）若不得口訣之術，萬無一人爲之，而不以此自傷煞者也。……余承師鄭君之言，故記以示將來之信道者，非臆斷之談也。余實復未盡其訣矣。」

註五十五：見抱朴子內篇卷九道意篇。

註五十六：抱朴子內篇卷四金丹篇：「余考覽養性之書，鳩集久視之方，曾所披涉，篇卷以千計矣。」晉書卷七十二葛洪傳：「稚川束髮從師，老而忘倦。紬奇冊府，總百代之遺編；紀化仙都，窮九丹之祕術。……全生之道，其最優乎！」

註五十七：晉書卷七十二葛洪傳：「著……金匱藥方一百卷，肘後要急方四卷。」太平御覽卷三十四引抱朴子佚文：「或問不熱之道。或服『玄冰丸』，或服『飛雪散』。幼子伯王仲都用此方也。」

註五十八：抱朴子內篇卷十六黃白篇：「余昔從鄭公受九丹及金銀液經，因復求受黃白中經五卷。鄭君言：曾與左君於廬江銅山中，試作皆成也。」

註五十九：抱朴子內篇卷十六黃白篇：「余又知：論此曹事（指黃白煉丹之事），世人莫不呼爲迂闊不急，未若論俗間切近之理，可以合衆心也。然余所以不能已於此事，知其不入世人之聽而猶論著之者，誠見其效驗，又所承授之師，非妄言者。而余貧苦無財力，又遭多難之運，有不已之無賴。兼以道路梗塞，藥物不可得，竟不違合作之。」

註 六 十：抱朴子內篇卷十六黃白篇：「俗人多識余好攻異端，謂予爲趣欲強通天下之不可通者。余亦何爲然哉？余若欲以此輩事，騁辭章於來世，則余所著外篇及雜文二百餘卷，足以寄意於後代，不復須此。」

註六十一：見抱朴子內篇卷十明本篇。

註六十二：抱朴子內篇卷三對俗篇：「聞之先師曰：仙人或昇天，或住地，要於俱長生住留，各從其所好耳。」

註六十三！抱朴子內篇卷四金丹篇：「閱見流移俗道士數百人，或有素聞其名，乃在雲日之表者。然率相似如一。其所知見深淺有無，不足以相傾也。雖各有數十卷書，亦未能悉解之也，爲寫蓄之耳。……余問諸道士以神丹金液之事及三皇文，召天神地祇之法，了無一人知之者。」

註六十四：見宛陵集卷四十一「依韻和吳正仲赤目見寄」詩後注語。

註六十五：抱朴子內篇卷十七登涉篇：「余少有入山之志，由此乃行學遁甲書，乃有六十餘卷，事不可卒精，故鈔集其要，以爲囊中立成。」

註六十六：太平御覽卷九百三十九引抱朴子佚文：「抱朴子曰：南陽丹水有丹魚，先夏至十日，夜伺之，魚夜浮水，側有赤火，割取血以塗足，可以步行水上。」

註六十七：太平御覽卷八百三十九引抱朴子佚文：「抱朴子曰：南海晉安九熟之稻。」

註六十八：太平御覽卷九百四十六引抱朴子佚文：「抱朴子曰：南人入山，皆以竹管盛活吳公（卽蜈蚣）。吳公知有蛇之地，便動作於管中。如此則草中便有蛇也。吳公見蛇，能以氣禁之，蛇卽死。」

第四章　葛洪家世考

一、葛洪十世祖──「曩祖」

葛洪十世祖，未知其諱，葛洪稱之爲「曩祖」（註一），約生於西漢元帝初元二年（西元前四十七年），卒於淮陽王更始元年（西元二十三年）之前，享年近七十（註二）。曾任荊州刺史，甚具忠節。西漢孺子嬰居攝二年（西元七年），九月，東郡太守翟義將扶漢室，起兵討莽。葛洪之十世祖起義助之，不幸遭敗，被迫遷家琅邪，遺世隱居（註三）。稍後，其子浦廬、文繼起，佐光武興漢，終成大功（註四）。

註一：正統道藏洞玄部「虞」字號、吳太極左仙公葛公之碑：「仙公姓葛，諱玄，字孝先。丹陽句容都鄉吉陽里人也。本屬琅琊。後漢驃騎僮侯廬讓國於弟，來居此土。七代祖艾（依抱朴子自敍篇「艾」當作「文」），即驃騎之弟，襲封僮侯。」按仙公葛玄，乃洪之從祖，則玄之七世祖文，即洪之九世祖；而文又爲洪「曩祖」之子，是洪之「曩祖」，乃其十世祖也。

註二：據漢書卷八十四翟方進傳，孺子嬰居攝二年（西元七年），翟義起兵，其時，姊子陳豐十八歲。以此逆推，陳豐當生於西漢成帝元延二年（西元前十一年）。陳豐之母，若於二十歲生豐，則陳豐之母當生於西漢成帝建始二年（西元前三十一年）。翟義如小於其姊四歲，則義當生於西漢成帝河平元年（西元前二十七年）。

依漢書卷八十四翟方進傳，翟義「年二十出爲南陽都尉」，復據葛洪自敍篇，其曩祖曾爲荆州刺史。據漢書卷二十八上地理志，南陽郡屬荆州。是以翟義與葛洪之曩祖二人相識，必在此時此地。其時天下承平，能爲刺史者，年齡應在四十左右。翟義既生於西元前二十七年，擬測葛洪之曩祖似應大於翟義二十歲，如是，則葛洪之曩祖，當生於西漢元帝初元二年（西元前四十七年）。

居攝二年（西元七年），九月，翟義起兵討莽；同年十二月，失敗，遭莽夷滅三族，此當卽抱朴子自敍篇言其「曩祖」「爲莽所敗」之時。

抱朴子自敍篇所謂「遇赦免禍，遂稱疾自絕於世。莽以君（卽指「曩祖」）宗強，慮終有變，乃徙君於琅邪」云云，按新莽赦天下凡八次，始自始初元年（西元八年），迄於地皇元年（西元二十年），先後相距十三年（見資治通鑑卷三十六至卷三十八）。葛洪「曩祖」究以何年遇赦，難予確定。劉秀起義，在更始元年（西元二十三年）；又據抱朴子自敍篇，葛洪「曩祖」之子浦廬與文，曾起兵佐光武，立大功，並未言及其父「曩祖」參與其事，其時或已棄世。是以「曩祖」之卒年，當在更始元年之前。

註三：抱朴子外篇卷五十自敍篇：「洪曩祖爲荆州刺史，王莽之篡，君恥事國賊，棄官而歸，與東郡太守翟義，共起兵，將以誅莽，爲莽所敗。遇赦免禍，遂稱疾自絕於世。莽以君宗強，慮終有變，乃徙君於琅邪。」

註四：見抱朴子外篇卷五十自敍篇。

二、葛洪九世祖——葛文

葛文約生於西漢成帝鴻嘉二年（西元前十九年）（註一）。光武興漢，文嘗私從其兄浦廬征討，身冒矢石，瘡痍周身，傷失右眼，屢建大功。及開國論功，官以文不在軍籍，不爲比論。浦廬不忍，上書乞轉封於弟，上聽之，文因襲僮縣侯，爲其兄營建博望里宅舍，浦廬不受，乃南渡江，家于句容，終不還焉（註二）。

註一：葛文有兄弟三人，長曰浦廬，仲曰孫，文年最幼。以常例推之，其父當於二十四歲生浦廬，二十六歲生孫，二十八歲生攸。如是推算，生文約在西漢成帝鴻嘉二年。

註二：抱朴子外篇卷五十自敍篇：「開國初，侯（指僮縣侯浦盧）之弟文，隨侯征討，屢有大捷。侯比上書爲文訟功，而官以文私從兄行，無軍名，遂不爲論。侯曰：『弟與我同冒矢石，瘡痍周身，傷失右眼，不得尺寸之報，吾乃重金累紫，何心以安？』乃自表乞轉封於弟。書至上請報，漢朝欲成君高義，故特聽焉。文辭不獲已，受爵即第，爲驃騎營立宅舍於博望里，于今基兆石礎存焉。又分割租秩以供奉吏士，給如二君焉。驃騎殷勤止之而不從。驃騎曰：『此更煩役國人，何以爲讓？』乃託他行。遂南渡江而家于句容。子弟躬耕，以典籍自娛。文累使奉迎驃騎，驃騎終不還。又令人守護博望宅舍，以冀驃騎之反，至于累世無居之者。」又見「釁祖」條下之（註一）。

三、葛洪九世從祖——葛浦盧

葛浦盧約生於西漢平帝陽朔二年（西元前二十三年）。四十五、六歲間，助光武起義有功。光武踐祚，分功論爵，遷爲驃騎大將軍，封下邳僮縣侯。浦盧心懸弟文，出入生死，未得尺寸之報，乃讓爵於弟，南渡，家於句容，躬耕讀書，優遊而終（註一）。

註一：見「葛文」條下之（註一）。

四、葛洪九世從祖——葛孫

葛孫乃浦盧仲弟，約生於西漢成帝陽朔四年（西元前二十一年）。適丹陽句容，偶會兄浦盧，二人乃定居句容，世代不遷（註一）。

註一：正統道藏洞眞部「淡」字號、歷世眞僊體道通鑑卷二十三「葛仙公」：「（葛玄）高祖盧，……南遊江左，逍遙丘壑，適丹陽句容。見其山水秀麗，風俗淳厚，深合雅意。偶會仲弟孫來爲別駕，一日參侍而言曰：『吾從祖既爲泰伯，而劣孫可爲仲雍之後乎？』因是同居焉。」

五、葛洪三世祖——葛矩

葛矩乃葛洪三世祖，東漢時曾爲安平（今江西安福縣）太守、黃門侍郎（註一）。

註一：正統道藏洞玄部「虞」字號、「太極仙公傳」：「（葛玄）祖矩，安平太守、黃門郎。」（梁陶弘景吳太極左仙公葛公之碑同）正統道藏洞眞部「淡」字號、歷世眞僊體道通鑑卷二十三「葛仙公」：「仙公祖矩，仕漢爲黃門侍郎。」

六、葛洪三世從祖——葛彌

葛彌，字孝公，葛矩之弟，葛洪之三世從祖。嘗爲豫章等五郡太守（註一），後隱居括蒼山。葛玄年十八、九時，曾前往省侍（註二）。

註一：梁陶弘景吳太極左仙公葛公之碑：「從祖彌，豫章等五郡太守。」

註二：正統道藏洞眞部「淡」字號、歷世眞僊體道通鑑卷二十三「葛仙公」：「仙公年十八、九歲，仙道漸成，乃遨遊山海，倏忽去來，遂東入括蒼，省侍其叔。叔諱彌，字孝公，時授業橫經，四方央才，肩摩袂接，立講堂於其居。仙公歸拜之。彌勞問翱翔之意，曰：『予嘗念子，幽窈與人事疎濶，仰盼青雲，俯臨滄海，險阻艱難，備嘗之矣。古人所慣，子能爲之。今天下文明，三國求士。子才博術奇，必是出也。』仙公告曰：『玄稟性愚鈍，不通世用，負宰先緒，謝千祿之客，辭負鼎之士，嘗絕志巖穴，棲心煙霞，流浪山水，以此爲樂。庶幾與涓子爲交、赤松結友。惟叔父遠弘道藝，講論五經，洙泗之風，翕然復振詩雅之道。……』彌答曰：『子絕類離倫，超凡入聖，吾所不及。』……仙公辭謝而去。」（正統道藏洞玄部「虞」字號、「太極仙公傳」同）按陶弘景吳太極左仙公葛公之碑，彌爲葛玄從祖，葛洪之三世從祖。

七、葛洪二世祖——葛焉

葛焉（一作孝儒），字德，素奉道法，曾爲儒州主簿、山陰（今浙江紹興縣）令、散騎常侍、大鴻臚、大尚書（註一）。生於東漢章帝元和元年（西元八十四年），卒於東漢靈帝建寧四年（西元一七一年），享壽八十有八（註二）。

註一：正統道藏洞玄部「虞」字號、「太極葛仙公傳」：「（葛玄）父焉，字德，儒州主簿，山陰令，散騎常侍、大尚書。」正統道藏洞眞部「淡」字號、歷世眞僊體道通鑑卷二十三「葛仙公」：「父孝儒，歷大鴻臚，登尚書。……仙公父素奉道法。（生葛玄時），即遣使齎香華錢，詣本里玄靜觀求香水浴兒。」雲笈七籤卷三亦言葛玄之父諱曰孝儒。

註二：正統道藏洞眞部「淡」字號、歷世眞僊體道通鑑卷二十三「葛仙公」：「仙公本大羅眞人下降，以後漢桓帝延禧七年甲辰歲四月八日誕世。……仙公年八歲失怙恃，已能好學自立。」及正統道藏洞玄部「虞」字號、「太極葛仙公傳」：「仙公生於漢延熹七年甲辰四月八日。……八歲父薨，繼遭母喪。」得知葛玄生於東漢桓帝延熹七年（西元一六四年）。而葛玄「八歲父薨」，則葛焉之卒年，當在東漢靈帝建寧四年（西元一七一年）。據雲笈七籤卷三靈寶略紀：「葛玄，字孝先，……乃葛尚書之子，尚書名孝儒，年八十乃誕玄。」故上推八十八年，即東漢章帝元和元年（西元八十四年），當爲葛焉之生年。

八、葛洪祖父──葛奚

葛洪之祖，諱奚（一作「系」），學無不涉，究測精微；文藝之高，一時莫倫。以有經國之才，仕吳，歷宰海鹽、臨安、山陰、臨沅等縣。後入爲吏部侍郎、御史中丞、廬陵太守、吏部尚書、太子少傅、中書、大鴻臚、侍中、光祿勳、輔吳將軍，並受封吳壽縣侯（註一）。據三國志吳志卷二十賀邵傳，賀邵上書諫吳主孫皓時，曾言及鴻臚葛奚，乃先帝之舊臣，因醉酒失言，偶有逆忤，吳主乃飲之酒，中毒隕命。其卒年，約當吳主孫皓鳳凰元年（西元二七二年）（註二）。

註一：見第三章葛洪之生平之（註八）。

註二：據三國志吳志卷二十賀邵傳，賀邵諫吳主皓，言及「近」時酖死鴻臚葛奚事，皓深恨之，乃於天冊元年（西元二七五年）殺害賀邵。是則葛奚之死，當在天冊元年之前。再依資治通鑑卷七十九、晉紀一，吳中書令領太子太傅賀邵上疏進諫，係在吳主皓鳳凰元年（西元二七二年），則葛奚之死，又在鳳凰元年之前矣。同年資治通鑑記吳主皓之遊華里後，以右丞相萬彧與右大司馬丁奉、左將軍留平密謀曰：「若至華里不歸，社稷事重，不得不自還。」吳主聞之，以彧等舊臣，隱忍不發。是歲，吳主因會，以毒酒飲彧，傳酒人私減之。又飲留平，平覺之，服他藥以解，得不死。彧自殺；平憂懣，月餘亦死。徙彧子弟於廬陵。此案牽連者或不少，葛奚料亦在內，或以官不顯，未及其名。

九、葛洪從祖——葛玄

葛洪之從祖葛玄（註一），字孝先，生於東漢桓帝延熹七年四月八日（西元一六四年）（註二），卒於吳大帝赤烏七年八月十五日（西元二四四年）（註三），享壽八十一。

葛玄生而秀穎，性識明茂，神采挺拔。八歲失怙恃，已能好學自立。十三歲學通古今，凡經傳子史，靡不賅覽。年十五、六，已名振江左，時賢欲辟爲掾，固辭，欲遁迹靈嶽，遐求異人，乃羽服入天台赤城上虞山，精思念道。好彈琴、誦老莊（註四），安閑澹泊，內足無求。又常服餌朮，能絕穀，連年不飢。所願有得，遂遇眞人左元放，師之，受九丹金液仙經，煉烝保形之術，治病劾鬼祕法、三元眞一妙經。行持三年，廣積功效。至十八、九，仙道漸成，乃遨遊山海，倏忽去來。東入括蒼山，省侍其從祖葛彌。彌嘗讚其「絕穎離倫，超凡入聖」。其後辭彌而去，復周旋於括蒼、南嶽、羅浮諸山，以卜修煉金丹之地。

葛玄既修成仙道，遨遊山海，常行奇技仙術於世，或以助人，或以爲戲，皆有神驗（註五）。以其能用符，行諸奇術，故時人稱之曰「仙公」，玄亦自號焉。是時，吳大帝孫權好神仙怪異之說，於玄甚為敬重，欲加榮位，玄不聽，求去不得，以客禮待之。常共遊宴，動相諮稟。一日，玄辭吳大帝曰：「山林微賤，久藉恩庇，今者暫違丹陛，未有再見之期。」於是太子孫登聞玄將得道他去，乃築別室招延，日親訪問。至吳大帝嘉禾二年（西元二三三年）正月朔日，玄乃辭太子而去京。出京時謂弟子曰：「比為主上淹留，而光陰迅速，老之將至，功用雖積，金丹未煉，不可徒費歲月。」徑往閤皂（山名，今江西清江縣東）福地，於東峯之側，建臥雲庵，築壇立竈，居其中，謝絕人事，修煉九轉金丹。時有瑞氣祥光，映照山谷。以道家祕籍、鍊丹祕術傳授弟子。弟子五百餘人，入室者計有：鄭隱（思道）、張泰言、孔龍、李參、王玄沖、張秦、仇眞、李用、鄭明、釋道微、張恭等十一人。玄以俗務已了，乃合藥，修鍊大丹。越三載，大丹鍊成，玄乃醮謝天地，然後服之仙去。迨北宋徽宗崇寧三年三月十七日（西元一一〇四年），敕封沖應眞人；南宋理宗淳祐六年三月十七日（西元一二四六年），封沖應孚佑眞君（註六）。

註一：抱朴子內篇卷四金丹篇：「余從祖仙公，又從（左）元放受之。」晉書卷七十二葛洪傳：「從祖玄，吳時學道得仙，號曰葛仙翁。」

註二：正統道藏洞眞部「淡」字號、歷世眞僊體道通鑑卷二十三「葛仙公」：「仙公本大羅眞人下降，以後漢桓帝延禧七年甲辰歲四月八日誕世。」正統道藏洞玄部「虞」字號、「太極葛仙公傳」：「仙公生於漢延熹七年甲辰四月八日。」

註三：正統道藏洞眞部「淡」字號、歷世眞僊體道通鑑卷二十三「葛仙公」：「於吳赤烏七年八月十五日，日中，……時有飛天神王捧持玉詔，……宣詔曰：『葛玄久專至道，……可於甲子歲（赤烏七年）八月十五日午時，飛昇，徑赴闕庭。』……仙公望天門再拜，受詔訖，遂與弟子鄉朋分別於東峯之側。……昇天之年，八十有一。」（太極葛仙公傳亦同）梁陶弘景吳太極左仙公葛公之碑：「仙公赤烏七年，太歲甲子八月十五日，平旦升仙，長往不返。」

註四：今日所傳河上公老子道德經注，前列有「太極左仙公葛玄」序一篇。

註五：抱朴子內篇卷八釋滯篇暨內篇卷十七登涉篇，均載葛玄潛水一日乃出之事。

註六：詳見正統道藏洞眞部「淡」字號歷世眞僊體道通鑑卷二十三「葛仙公」、正統道藏洞玄部「虞」字號「太極葛仙公傳」、晉書葛洪傳、抱朴子內篇卷四金丹篇暨雲笈七籤卷三、卷六。

十、葛洪父——葛悌

葛洪之父，諱悌，夙承家門儒風，以孝友聞，行爲士表。方册所載，罔不窮覽。仕吳，任五官郎中正、建城南昌二縣令、中書郎、廷尉、平中護軍，再拜會稽太守。入晉後，除郎中，遷太中大夫，歷位大中正、肥鄉令、邵陵太守。其任官也，秋毫之贈，不入於門；紙筆之用，皆出私財。刑厝而禁止，不言而化行。可謂恩洽刑清，野有頌聲。晉元帝元康五年（西元二九五年），卒於官。葛洪乃悌之季子。係晚年所出，故深寵愛焉（註一）。

註一：見第三章葛洪之生平（註十）。

十一、葛洪之兄弟——胞兄二人

葛洪行三，上有二兄。惟其名字、生平均未詳。父喪時，伶仃困瘁，非「躬執耕稼」無以自給，似可見其二兄「友于之情」較爲淡薄（註一）；或以洪雖年幼，惟深具個性，不願接受乃兄資助（註二）。

註一：抱朴子外篇卷五十自敍篇：「洪者，君之第三子也。生晚，爲二親所嬌饒。……年十有三，而慈父見背，夙失庭訓，飢寒困瘁，躬執耕穡。」

註二：抱朴子外篇卷五十自敍篇：「受人之施，必皆久久漸有以報之，不令覺也。非類則不妄受其饋致焉。」

十二、葛洪之表兄弟——劉士由

姑子劉君士由，乃葛洪之表兄弟。抱朴子內篇卷二十三弭訟篇，記其見德讓之凌替，疾民爭之損化，唱「用和」之爲貴，創「讖言」以拾遺，用以易紛譁之俗，而止無恥之風，庶幾於無訟之境。其餘不詳。

十三、葛洪之妻——鮑姑

葛洪之妻鮑姑，乃葛洪師南海太守鮑靚之女。有妹及笄暴卒，而容色若生，人咸謂之尸解。姑亦好仙道，適稚川，居羅浮山中，每與其夫戲鬥仙術。又長醫術，善灸贅瘤。常行灸於南海。今廣州越秀山之西，鮑姑井尚存；又羅浮山南有黍珠庵，庭宇弘邃，傳爲其所建。後與稚川相次登仙。羅浮志謂：唐人崔煒嘗數見之，並得其越井岡艾，以醫贅瘤，功甚效而名彰顯（註一）。

註一：按鮑姑事蹟，見明永樂年間陳槤所撰羅浮志卷五、明王圻續文獻通考卷三百四十一、晉書卷七十二葛洪傳、正統道藏洞玄部「惟」字號仙苑編珠下卷、清李福泰所編廣州府志卷十三暨番禺縣志卷四十九。

十四、葛洪之子——不知其名

葛洪有子，惟不知有幾，且行事、名號，亦無傳焉，僅見於晉書卷七十二葛洪傳，言葛洪欲至交阯煉丹，求爲句漏令，帝從之，洪遂將子姪俱行耳（註一）！

註一：晉書卷七十二葛洪傳：「以年老，欲鍊丹以祈遐壽，聞交阯出丹，求爲句屚令。帝以洪資高，不許。洪曰：『非欲爲榮，以有丹耳。』帝從之。洪遂將子姪俱行。」

十五、葛洪之姪——葛望

葛洪之姪葛望，曾於晉成帝咸和五年（西元三三〇年），隨其叔葛洪，前往句漏山煉丹。至廣州，葛洪爲刺史鄧嶽羈留而居羅浮山。鄧嶽尋又表洪補東官太守，不就，乃以其姪望爲記室參軍（註一）。

註一：晉書卷七十二葛洪傳：「洪遂將子姪俱行。至廣州，刺史鄧嶽留不聽去，洪乃止羅浮山煉丹。嶽表補東官太守，又辭不就。嶽乃以洪兄子望爲記室參軍。」

十六、葛洪之從孫——葛巢甫

葛洪之從孫葛巢甫，依正統道藏太平部「諸」字號、道教義樞卷二所引眞一自然經，葛巢甫亦道家累世相傳之「系代人」，曾於東晉安帝隆安末年（若據雲笈七籤卷六，則係隆安元年，西元三九七年），將道家祕籍三洞眞經傳於任延慶及徐期靈二人云云。其餘不詳。

茲將上述葛洪家世，試作一譜系圖如后：

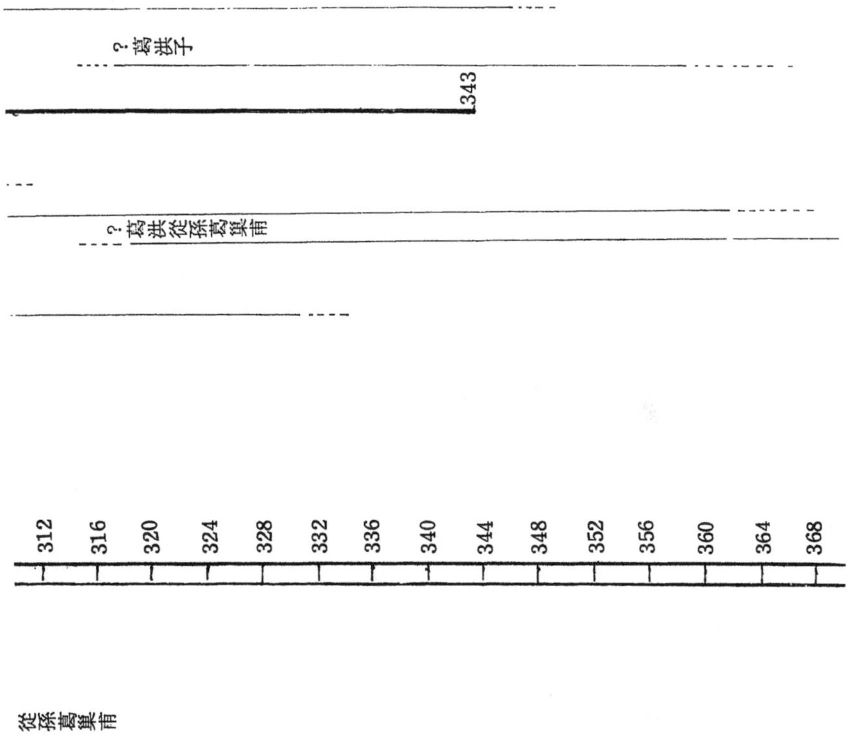
?葛洪子
343
?葛洪從孫葛巢甫
312
316
320
324
328
332
336
340
344
348
352
356
360
364
368
從孫葛巢甫

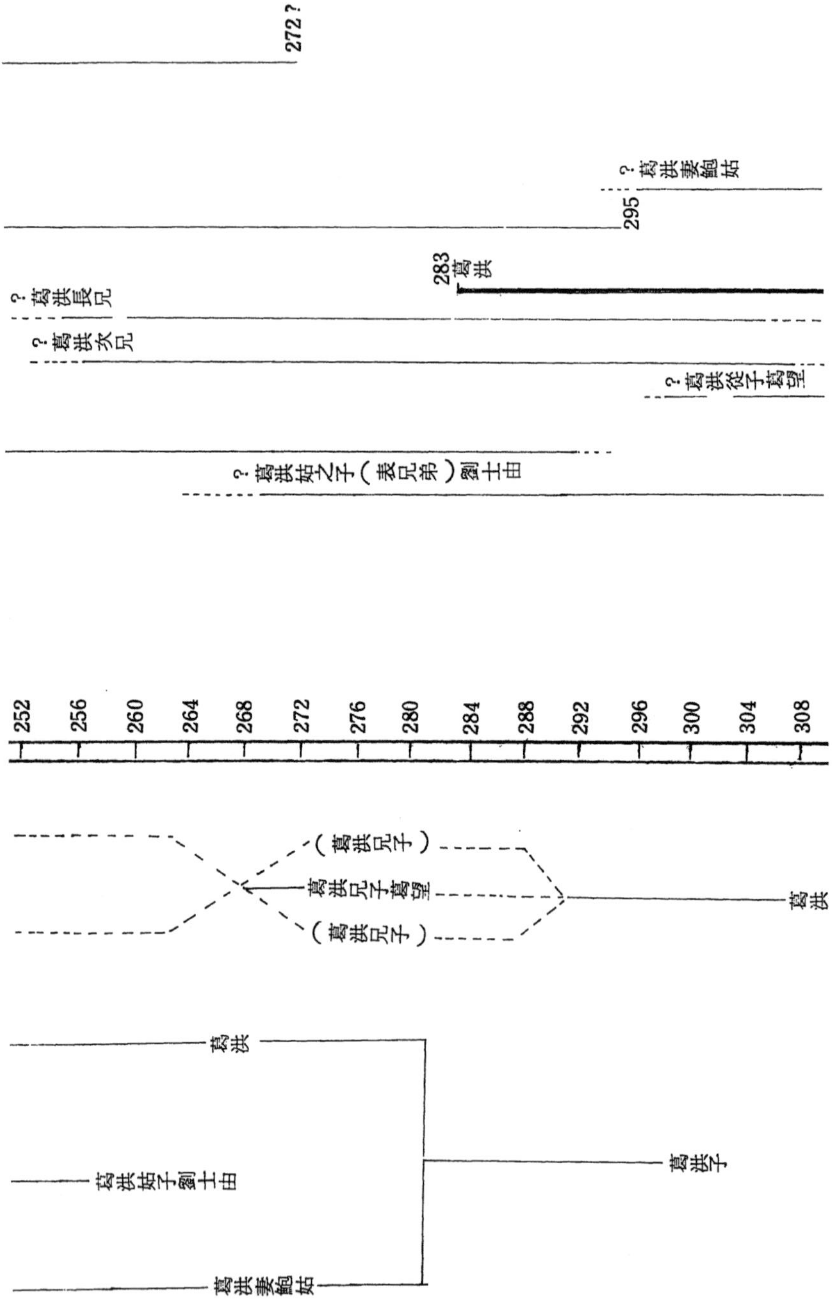

272?
?葛洪妻鮑姑
295
283 葛洪
?葛洪長兄
?葛洪次兄
?葛洪從子葛望
?葛洪姑之子(表兄弟)劉士由
252
256
260
264
268
272
276
280
284
288
292
296
300
304
308
(葛洪兄子)
葛洪兄子葛望
(葛洪兄子)
葛洪
葛洪
葛洪姑子劉士由
葛洪妻鮑姑
葛洪子

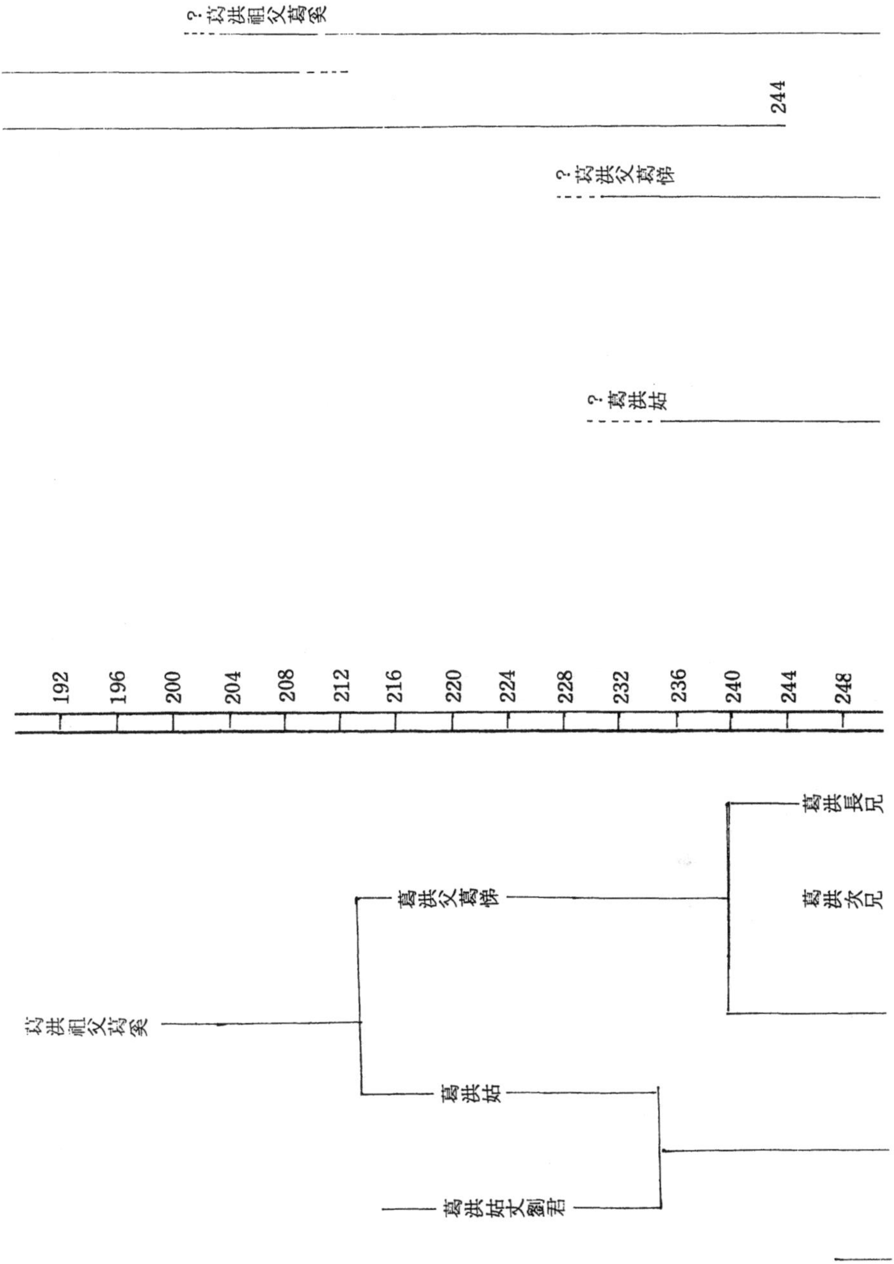
? 葛洪祖父葛奚
244
? 葛洪父葛悌
? 葛洪姑
192
196
200
204
208
212
216
220
224
228
232
236
240
244
248
葛洪長兄
葛洪次兄
葛洪父葛悌
葛洪祖父葛奚
葛洪姑
葛洪姑丈劉君

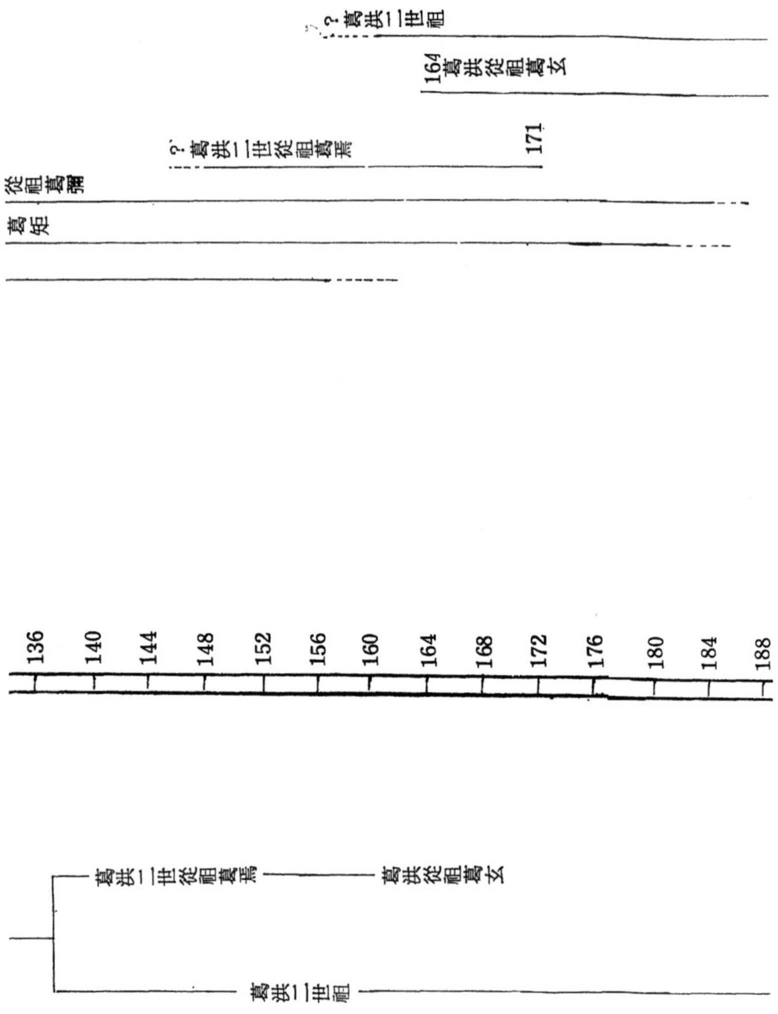
? 葛洪11世祖
164 葛洪從祖葛玄
? 葛洪11世從祖葛焉
171
從祖葛彌
葛矩
136
140
144
148
152
156
160
164
168
172
176
180
184
188
葛洪11世從祖葛焉
葛洪從祖葛玄
葛洪11世祖

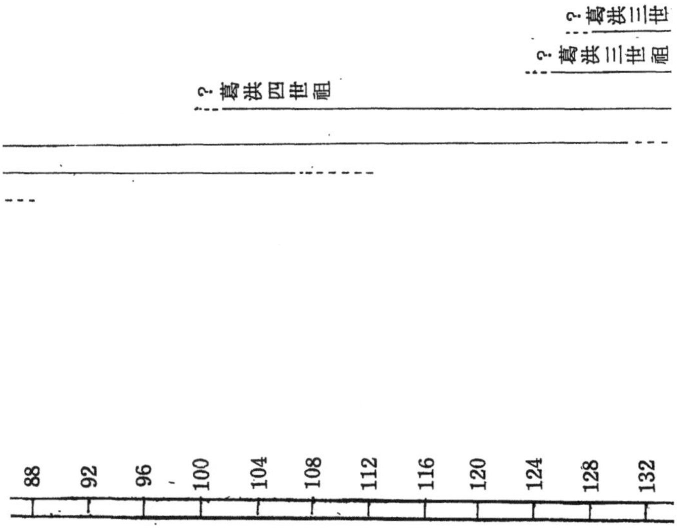
?葛洪三世
?葛洪三世祖
?葛洪四世祖
88
92
96
100
104
108
112
116
120
124
128
132

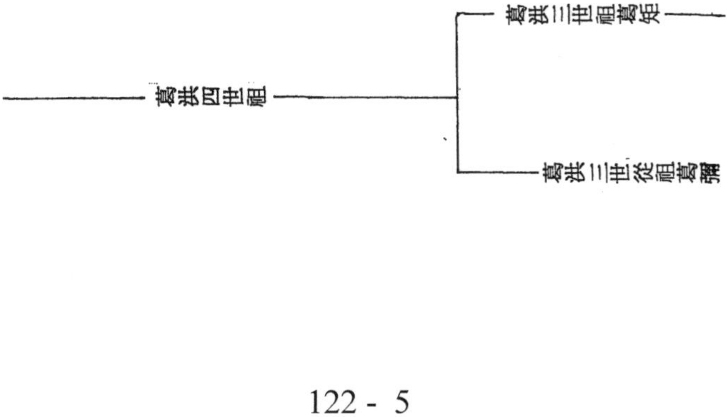
葛洪四世祖
葛洪三世祖葛矩
葛洪三世從祖葛彌

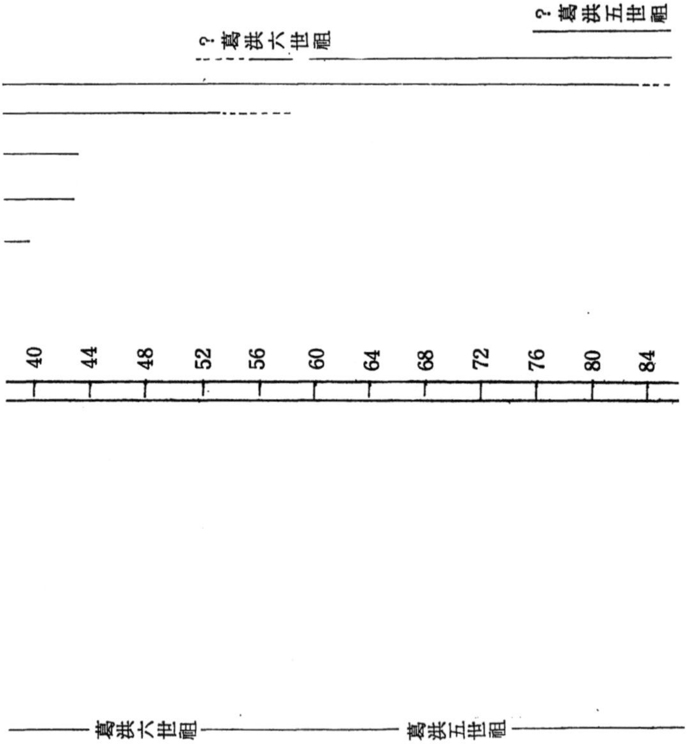
?葛洪六世祖
?葛洪五世祖
40
44
48
52
56
60
64
68
72
76
80
84
葛洪六世祖
葛洪五世祖

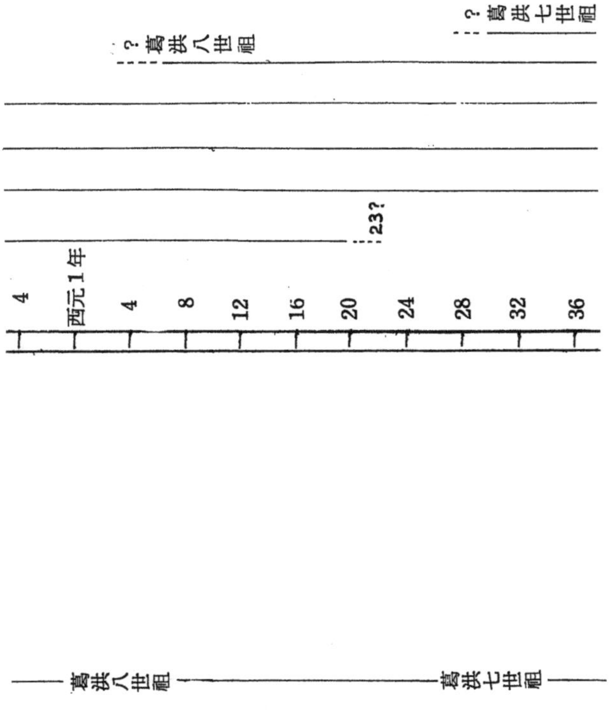
?葛洪八世祖
?葛洪七世祖
23?
4
西元1年
4
8
12
16
20
24
28
32
36
葛洪八世祖
葛洪七世祖

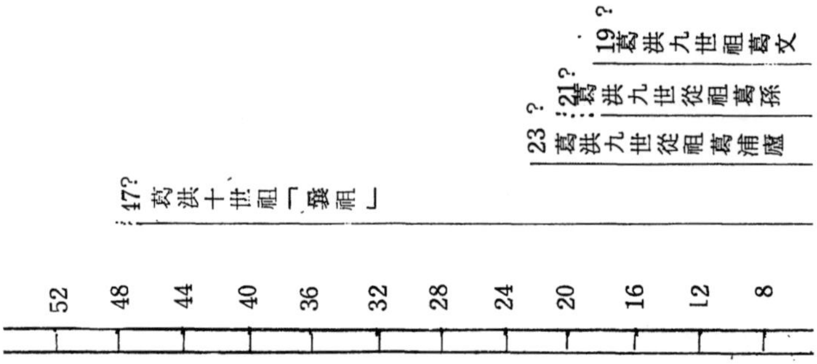
19 ? 葛洪九世祖葛文
21? 葛洪九世從祖葛孫
23 ? 葛洪九世從祖葛浦廬
47? 葛洪十世祖「 祖」
52
48
44
40
36
32
28
24
20
16
12
8

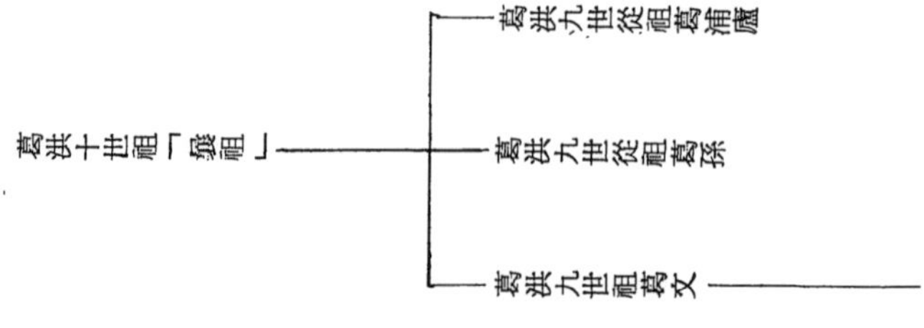
葛洪十世祖「 祖」
葛洪九世從祖葛浦廬
葛洪九世從祖葛孫
葛洪九世祖葛文

第五章　葛洪之師徒、交遊考

一、鄭思遠——葛玄之徒、葛洪之師

鄭思遠，字子華，或以久隱山林，又名「隱」。約生於東漢獻帝建安二十二年（西元二一七年）。至晉惠帝太安元年（西元三〇二年），率入室子弟進入霍山隱居時，年已八十有五（註一）。思遠本爲儒士，明五經，善律曆、候緯；晚而好道，因師事葛玄，故知仙道，且於九宮、三奇、天文、河洛、讖記，莫不精研。洞仙傳卷一嘗言：思遠嘗自葛玄受正一法文、三皇內文、五嶽眞形圖、太清金液經、洞玄五符諸經。亦嘗拜左慈爲師，自言嘗與左師於廬江、銅山等地煉丹，皆有所得，故於丹術之效，深信不疑。惟時以家貧，無以買藥合煉之耳。後遁入廬江馬迹山隱居，仁及鳥獸。有三虎隨其左右，如馴鹿然。葛洪始見道家祕笈，卽因思遠所示；葛洪師之，於弟子五十餘人中，獨得其法，且受金丹之經及三皇內文、五岳眞形圖、枕中五行記、九丹、金銀液經、黃白中經（註二）。抱朴子內篇卷十九遐覽篇嘗論及思遠之人格、學術云：

「鄭君，本大儒士也。晚而好道。由以禮記、尚書，教授不絕。其體望高亮，風格方整。授見之者，皆肅然。每有諮問，常待其溫顏，不敢經銳也。」

此言思遠體望高亮，風格方整，凡見之者皆肅然起敬。或有諮問，必待其和顏始敢進也。其平日授徒，以禮記、尙書教授不絕。

晉惠帝太安元年（西元三〇二年），思遠知季世之亂，江南將鼎沸，乃負笈持仙藥之樸素，將入室弟子，東投霍山，莫知所在（註三）。

註一：見本年譜「二十歲」所述。

註二：見本年譜「十五歲」所述。

註三：見抱朴子內篇卷十九遐覽篇。

二、鮑靚——葛洪之師

鮑靚，字太玄（註一），琅邪（今山東諸城縣）（註二）人。漢司隸鮑宣之後。稟性清慧，學通經史，修身養性，蠕動而不犯，聞人之惡，如犯家諱。人多從受業。揚道化物，號曰儒林（註三）。不知生於何時。或卒於蘇峻亂晉（晉成帝咸和二年，西元三二七年）之前二年（晉明帝太寧三年，西元三二五年）（註四）。晉書卷九十五鮑靚傳，稱其「百餘歲卒」，若是，則當生於三國魏文帝黃初六年（西元二二五年）之前，惟無實據，不足採信。

年五歲，語父母云：「（前世）本是曲陽李家兒，九歲墜井死。」其父母尋訪得李氏，推問皆符驗（註五）。少時，有密鑒，洞於幽玄，人莫知之（註六）。靚學兼內外，明經術、天文、緯候、河洛。仕至南陽中部都尉，遷南海太守，時王機爲廣州刺史。嘗行部入海，遇風，飢甚，取白石煮食之以自濟（註七）。

晉懷帝永嘉六年（西元三一二年），靚爲南海太守，葛洪至廣州，定居於羅浮山。此時，與葛洪相遇、相善，且常相往來。兩人或語論達旦，並建立親暱關係，亦師亦友，並爲翁壻（註八）。

晉惠帝元康二年（西元二九二年），靚於嵩山劉君石室清齋，得石刻三皇文（註十）。晉元帝太興元年（西元三一八年），又於蔣山（今鍾山）北道遇眞人陰長生，獲授道訣及刀解之術（註十一）。復師事左慈，受中部法，及三皇五嶽劾召之要。諸法行之神驗，能役使鬼神，封山制魔。晚年，靚還丹楊，卒，或云葬於石子岡（註十二），或云於羅浮山得道（註十三）。

註一：鮑靚字太玄，晉書卷七十二葛洪傳云「玄」者，疑「玄」字上脫一「太」字，或因雙名取其單稱耳。晉書卷九十五 鮑靚傳不誤。

註二：鮑靚籍貫，或言東海（今山東郯城，見晉書卷九十五鮑靚傳）；或言上黨（今安徽蕪湖縣，見晉書卷七十二葛洪傳、太平御覽卷四十一引羅浮山記、卷六百六十六引神仙傳）；或言陳留（今河南陳留縣，見雲笈七籤卷八十五、正統道藏洞眞部「淡」字號歷世眞僊體道通鑑卷二十一）；或言琅邪（今山東諸城縣，見太平御覽卷六百六十四引神仙傳）。據吳士鑑、劉承幹晉書鮑靚傳斠注所論定：「上黨」「東海」皆非，應以「琅邪」爲是。

註三：見太平御覽卷六百六十四引神仙傳、卷六百六十六引道學傳。

註四：見本年譜「三十六歲」及「四十五歲」所引資料。

註五：見晉書卷九十五鮑靚傳。

註六：見雲笈七籤卷八十五。

註七：見晉書卷九十五鮑靚傳。

註八：見本年譜「三十歲」之「案語」。
註九：見晉書卷八十許邁傳。
註十：見雲笈七籤卷四「三皇經說」。
註十一：見本年譜「三十六歲」所引資料。
註十二：見雲笈七籤卷八十五暨正統道藏洞眞部「淡」字號歷世眞僊體道通鑑卷二十一。
註十三：見正統道藏洞玄部「惟」字號、仙苑編珠下卷。

三、何幼道——葛洪敬仰之人

據晉書卷七十二葛洪傳：「於餘杭山見何幼道、郭文舉，目擊而已，各無所言。」將何幼道與郭文舉並列，且置郭氏前，足見二人非僅同爲葛洪所敬仰，其於何幼道，或尤重焉。葛氏之過訪餘杭山，於其人必心儀已久，惟以史無記載，生平不詳。

四、郭文——葛洪敬仰之人

郭文，字文舉，河內軹（今河南軹城縣）人。喜山水，尚嘉遁。能知先機，避災難。年十三，每遊山林，彌旬忘返。父母終，服畢，不娶，辭家遊名山，歷華陰（今陝西華陰縣）石室。晉懷帝永嘉五年（西元三一一年），漢主劉聰陷洛陽，步擔入吳興餘杭大辟山窮谷無人之地，倚木於樹，苫覆而居焉。時猛獸爲暴，而文獨宿近十年，卒無患害（註一）。晉愍帝建興二年（西元三一四年），葛洪嘗與餘杭令顧颺，偕至山中訪郭文（註二）。晉成帝太興三年（西元三二〇年）（註三），驃騎大將軍王導聞其名，遣人迎之，既至，置之西園。園中果木成林，又有鳥獸麋鹿，因以居文焉。溫嶠問：

「先生安獨無情乎？」文曰：「情由憶生，不憶故無情。」（註四）又問：「先生獨處窮山，若疾病遭命，或爲烏鳥所食，顧不酷乎？」曰：「藏埋者亦爲螻蟻所食，復何異乎？」導嘗衆賓共集，絲竹並奏，試使召之，文瞪眸不轉。居導園七年（晋成帝咸和元年，西元三二六年），未嘗出入。一日，忽求還山，導不聽。後遁入臨安（浙江今縣）白土山（註五），結廬山中。臨安令萬寵迎置於縣。明年，蘇峻反，破餘杭，而臨安獨全，人皆異之，以爲知機。此後，不復言。咸和三年（西元三二八年），病甚，不食二十餘日，亦不瘦。萬寵問其死期，文三擧手，果以十五日終。寵葬之於所居之處而祭哭之，葛洪與庾闡敬仰其人有「未卜先知」之術，並爲作傳，贊頌其美（註六）。或云嘗與晋帝言「馴虎」事，晋帝高其言，拜官不就，歸隱鼇亭山，得道仙去。後人於其牀下，得蒻葉，書金雄詩金雌記，其言皆當時讖語，其蛻如蛇也（註七）。五代後梁乾化年間，追封爲靈曜眞君（註八）。

註一：見晋書卷九十四郭文傳。

註二：晋書卷九十四郭文傳：「餘杭令顧颺與葛洪共造之，而攜與俱歸。」惟推定葛洪與顧颺共訪郭文之年，可參見本年譜「三十二歲」所述。

註三：見本年譜「三十二歲」所述。

註四：太平御覽卷六百六十六引抱朴子佚文：「郭文擧，河內軹縣人。入陸渾山（今河南嵩縣東北四十里）學道，獨能無情，意不生也。」

註五：見正統道藏洞眞部「淡」字號、歷世眞僊體道通鑑卷二十八。

註六：見晋書卷九十四郭文傳。

註七：見蜀杜光庭仙傳拾遺卷二。

註八：見元張雨玄品錄卷二。

五、陸機——葛洪敬仰之人

陸機，字士衡，吳郡吳（今江蘇吳縣）人也。生於孫吳景帝永安四年（西元二六一年），卒於晉惠帝太安二年（西元三〇三年），得年四十有三（註一）。先世江東大族，爲吳名家。祖遜，吳丞相。父抗，吳大司馬（註二）。機身長七尺，其聲如鐘。少有異才，文章冠世，伏膺儒術，非禮不動。抗卒，領父兵爲牙門將。年二十（吳末帝天紀四年，晉武帝太康元年，西元二八〇年）而吳滅，退居舊里。慨吳之亡也，閉門讀書十年，著辯亡論二篇（註三）。

太康末，與弟雲俱入洛。張華素重其名，見之如舊相識，曰：「伐吳之役，利獲二俊。」遂爲之延譽，薦之諸公。時洛下文壇，首推三張，及機兄弟入洛，聲譽頓減（註四）。太傅楊駿辟機爲祭酒。會駿誅，累遷太子洗馬、著作郎。元康四年（西元二九四年），吳王晏出鎮淮南，以機爲郎中令，因得歸吳。旋遷尙書中兵郎，轉殿中郎。

永康元年（西元三〇〇年），趙王倫輔政，引機爲相國參軍，以其豫誅賈謐有功，賜爵關中侯。先時，賈謐干預國事，權過人主，開閣延賓，海內輻輳，貴族豪戚及浮競之徒，莫不盡禮事之，所謂「二十四友」者，機雲兄弟亦與焉（註五）。永寧元年（西元三〇一年），趙王倫將篡位，以機爲中書郎。迨倫之誅也，齊王冏以機職在中書，九錫文及禪詔疑機與焉，遂收機等九人付廷尉。賴成都王穎、吳王晏並救理之，得減死徙邊，遇赦而止。

時中國多故，顧榮、戴若思等咸勸機還吳，機負其才望，而志匡世難，故不從。會成都王穎，推功不居，勞謙下士。機既感全濟之恩，又見朝廷屢有變難，謂穎必能康隆晉室，遂委身焉。穎以機爲參大將軍軍事，表爲平原內史。太安二年（西元三〇三年），穎與河間王顒起兵討長沙王乂，顒遣其將張方，穎遣其將平原內史陸機爲前鋒都督、前將軍假節，督北中郎將王粹，冠軍牽秀等諸軍二十餘萬人，以逼京師。長沙王乂奉天子與機戰於鹿苑，機軍大敗，遂爲忌者怨家所搆。初，宦人孟玖弟超，並爲穎所嬖寵。超領萬人爲小都督，未戰，縱兵大掠。機錄其主者。超憾之，宣言於衆曰：「陸機將反。」又還書與玖，玖遂譖機於穎，言其有異志。穎大怒，使冠軍牽秀密收機，遂遇害於軍中，年四十三。弟雲、耽、子蔚、夏亦同被害，夷三族。機兄弟既江南之秀，亦著名諸夏，並以無罪夷滅，天下痛惜之。

機天才秀逸，辭藻宏麗。張華嘗謂之曰：「人之爲文，常恨才少，而子更患其多。」後葛洪著書，稱「機文猶玄圃之積玉，無非夜光焉，五河之吐流，泉源如一焉。其弘麗妍贍，英銳漂逸，亦一代之絕乎！」其爲人所推服如此。然好游權門，與賈謐親善，頗爲識者所譏。陸機著述，晉書本傳云「所著文章凡三百餘篇」，惟其著作傳於今者，僅詩文集十卷耳。機妙解文理，心識文體，故作文賦一篇，爲中國文學批評重要典籍。其不傳而散見於他書可得而考者，計有晉紀四卷、洛陽記一卷、晉惠帝起居注二卷、晉惠帝百官志二卷、要覽三卷、吳章二卷、吳書五十卷、正訓十卷（註六）。

葛洪素仰陸機，雖則今傳抱朴子書中，未曾提及陸機其人，然於意林、北堂書鈔、太平御覽諸類書所引抱朴子佚文（註七），言及陸機之處綜而觀之，亦可窺見稚川之於士衡甚加推重、褒贊。再就本論文第一章所述，葛洪之文論，受陸機文賦之影響之處甚多，如陸機倡「其會意也尚巧，其遣言也貴妍」之理論，葛氏卽借此爲雕飾說大爲張目。卽以陸機（西元二六一——三〇三年）與葛洪（西元二八三——三四三年）生卒年相較，二人同居於世達二十一年之久，料其二人或亦當有所來往也。

註一：晉書卷五十四陸機傳：「年二十而吳滅。……太安初，……遂遇害於軍中，時年四十三。」晉書卷二十七五行志上：「惠帝太安二年，成都王穎使陸機率衆向京都，擊長沙王乂，及軍始引而牙竿折，俄而戰敗，機被誅。」資治通鑑卷八十五、晉紀七，亦載成都王司馬穎於晉惠帝太安二年冬十月，收殺陸機。再按吳滅於晉武帝太康元年（西元二八〇年），據此推之，士衡當生於孫吳景帝永安四年。

註二：晉書卷五十四陸機傳：「陸機，字士衡，吳郡人也。祖遜，吳丞相。父抗，吳大司馬。」三國志卷五十八吳志陸遜傳：「陸遜，字伯言，吳郡吳人也。本名議，世江東大族。……赤烏七年，代顧雍爲丞相。」

註三：見晉書卷五十四陸機傳。

註四：晉書卷五十五張載傳：「時人謂載、協、亢、陸機、雲曰『二陸』『三張』。……史臣曰：『洎乎二陸入洛，三張減價。考覈遺文，非徒語也。』」

註五：晉書卷四十賈謐傳。

註六：詳見康榮吉陸機及其詩中論「陸機之著述」。

註七：詳見意林卷四、北堂書鈔卷一百、太平御覽卷五九九暨卷六百零二。

六、郭璞——葛洪敬仰之人

郭璞，字景純，河東聞喜（今山西聞喜縣）人也。生於晉武帝咸寧二年（西元二七六年），卒於晉明帝太寧二年（西元三二四年），得年四十有九。父瑗，尚書都令史。時尚書杜預有所增損，瑗多駁正之，以公方著稱，終於建平太守。

璞好經術，博學有高才，而訥於言論，詞賦爲中興之冠。好古文奇字，妙於陰陽算曆。持性輕易，不修威儀，嗜酒好色，時或過度，晚歲尤甚。

有郭公者，客居河東，精於卜筮，璞從之受業。公以靑囊中書九卷與之，由是遂洞知五行、天文、卜筮之術，攘災轉禍，通致無方，雖京房、管輅，不能過也。璞門人趙載，嘗竊靑囊書，未及讀，而爲火所焚。

惠懷之際，匈奴人劉元海（淵）稱兵於離石，河東先擾，璞筮之，投策而歎曰：「嗟乎！黔黎將湮於異類，桑梓其翦爲龍荒乎！」於是潛結姻昵及交遊數十家，欲避地東南。抵將軍趙固，治其良馬而厚得資給，以爲盤纏。

永嘉五年，行至廬江，太守胡孟康被丞相召爲軍諮祭酒。時江淮淸晏，孟康安之，無心南渡。璞爲占曰「敗」。孟康不之信。後數旬，廬江陷。

璞旣避地過江，宣城太守殷祐引爲參軍；時有似牛怪物臨城，祐令璞卜之，頗爲精妙。祐遷石頭督護，璞復隨之，時有鼯鼠出延陵，璞占之，甚爲靈驗。

丞相王導深重之，引參己軍事。嘗令作卦，璞告其厄及解法，果如其言。時元帝初鎭建鄴，導令璞筮之，皆爲信然。及帝爲晉王，又使璞筮，遇豫之睽，璞曰：會稽當出鐘，以告成功，上有勒銘，應在人家井泥中得之。及帝卽位，太興初，會稽剡縣人果於井中得一鐘。帝甚重之。

璞著江賦，其辭甚偉，爲世所稱。後復作南郊賦，帝見而嘉之，以爲著作佐郎。

明帝之在東宮，與溫嶠、庾亮並有布衣之好，璞亦以才學見重，埒於嶠、亮，論者美之。

永昌元年正月，郭璞復上疏，請因皇孫生下赦令，帝從之；乙卯，大赦改元。時暨陽人任谷，爲帝宦者，妖蠱詐妄，璞上疏諫止，不聽。迨元帝崩，谷亦亡走。璞以母憂去職，卜葬於暨陽，去水百步許。人以近水爲言，璞曰：「當卽爲陸矣。」其後沙漲，去墓數十里皆爲桑田。

未朞，王敦起璞爲記室參軍。是時潁川陳述爲大將軍掾，有美名，爲敦所重，未幾而沒。璞哭之哀甚，呼曰：「嗣祖，嗣祖，焉知非福！」未幾而敦作難。

明帝卽位踰年，未改號，而熒惑守房。璞時休歸，帝乃遣使齎手詔問璞。會暨陽縣復上言曰：「赤烏見。」璞乃上疏請改年肆赦。

王敦將舉兵伐京師，使璞筮之。璞曰：「無成。」敦素疑璞助溫嶠、庾亮，及聞卦凶，乃問璞曰：「卿更筮吾壽幾何？」璞曰：「思向卦，明公起事，必禍不久。若往武昌，壽不可測。」敦大怒曰：「卿壽幾何？」曰：「命盡今日日中。」敦乃收璞斬之，時年四十九。

及王敦平，追贈弘農太守。子驁，官至臨賀太守。外孫杜不衍，亦善占筮。

璞曾撰前後筮驗六十餘事，名爲洞林；又抄京、費諸家要最；更撰新林十一篇、卜韻一篇；注釋爾雅，別爲音義、圖譜；又注三倉、方言、穆天子傳、山海經及楚辭、子虛、上林賦等書數十萬言。另作詩、賦、誄、頌亦數萬言。其中所撰江賦、南郊賦，俱爲時人所稱；而遊仙詩十四首，情致深切，辭多慷慨，尤有超逸特異風格。六朝人虛造神仙家言，每好影射璞，故僞稱其所撰之小說頗多，此或因璞生平喜好雜學小說家言所致。今有郭弘農集輯本二卷傳於世（註一）。

郭璞生於晉武帝咸寧二年（西元二七六年），至晉明帝太寧二年（西元三二四年）爲王敦所斬爲止，此四十九年之間，與葛洪生卒年（西元二八三年——西元三四三年）相較，二人同生於世達四十二年之久，料葛洪或與郭璞有所交往。

葛洪於抱朴子外篇卷三十鈞世篇，以「書」「詩」爲例，力證今文勝於古文，曾列舉後人之賦作與先秦之詩經較比，贊美郭璞所作之南郊賦遠勝詩經之清廟、雲漢二首（註二）。若此，葛洪必與郭璞有所交遊矣！王師夢鷗「從雕飾到放蕩的文章論」，曾言郭璞「生平不作經訓而專注山海經穆天子傳以及許多伎雜學，亦可見其興趣所在」，而直接影響葛洪之尊崇子書（註三），據此，益可證明郭璞必爲葛洪所心儀敬仰之人矣！

註一：郭璞生平，詳見晉書卷七十二郭璞傳暨游信利郭璞年譜初稿。

註二：抱朴子外篇卷三十鈞世篇：「並美祭祀，而清廟、雲漢之辭，何如郭氏南郊之艷乎？」按：郭璞南郊賦，文已殘缺，清人嚴可均所輯最爲完備。

註三：見中外文學八卷五期。

七、李淳風、魯生、黃章暨許邁——葛洪同門師兄弟

鄭思遠、鮑靚二師各有門生，知其名者，思遠之徒有李淳風（註一）、黃章（註二）二人；靚之徒有許邁一人。另有魯生（註三）一人，未知出諸何人門下。許邁事蹟，略述如下：

許邁，字叔玄，一名映，丹楊句容人也。據正統道藏洞眞部「淡」字號、歷世眞僊體道通鑑卷二十一引眞誥，言邁生於晉惠帝永康元年（西元三〇〇年）。世爲冑族，冠冕相承，而邁好恬靜，不慕仕進。總角好道，潛志幽契。未弱冠，嘗造郭璞，璞爲之筮，遇泰之大畜，其上六爻發，璞謂曰：「君元吉自天，宜學升遐之學。」往南海師事鮑靚，受中部法及三皇內文。惟以父母健在，不忍違親而返。以謂餘杭懸霤山近延陵之茅山，爲洞庭西門，潛通五嶽，陳安世、茅季偉常所游處，於是立精舍於此，而往來茅嶺之洞室，朔望返家定省而已。父母既終，乃遣婦孫氏還家，散髮去累。晉穆帝永和二年（西元三四六年），移入臨安西山，登巖茹芝，眇爾自得，有終焉之志。於是改名玄，字遠遊。與王右軍父子周旋。嘗遺羲之書云：「自山陰南至臨安，多有金堂玉室，仙人芝草，左元放之徒，漢末諸得道者皆在焉。」羲之自爲之傳，述靈異之跡甚多，不可詳記。邁自後莫知所終，好道者皆謂之羽化成仙（註四）。五代後梁均王乾化三年（西元九一三年）七月，追封歸一眞君（註五）。

李淳風、黃章、魯生等三人，事蹟無可考。

註一：雲笈七籤卷四引道教相承次第錄：「老君勑使三人於天台山，令葛玄傳鄭思遠系三十七代。思遠授十九人，唯二人系代：葛洪、李淳風。」

註二：抱朴子內篇卷十九遐覽篇：「余問先隨之弟子黃章，言鄭君嘗從豫章還，於掘溝浦中，連值大風，又聞前多劫賊。」

註三：抱朴子外篇四十三喻蔽篇：「余雅謂王仲任作論衡八十餘篇，爲冠倫大才。有同門魯生難余曰……。」

註四：見晉書卷八十許邁傳。

註五：見元張雨玄品錄卷三。

八、滕升、安海君、望世曁黃野人——葛洪之弟子

葛洪之弟子，史無記載，蒐輯稗遺，可得：滕升（註一）、安海君、望世（註二）、黃野人等四人。滕升、安海君曁望世三人，事蹟未詳。茲略述黃野人之事蹟如后：

黃野人，葛洪之弟子也，或云葛洪之隸。稚川棲山煉丹，野人隨之。葛旣仙去，留丹於羅浮山柱石之間。野人自外至，得一粒，服之，爲地行仙。又南宋度宗咸淳中（西元一二六五至一二七四年），客有戴烏方帽著韡，往來羅浮山中，見人則大笑反走，三年不言姓名。它日醉歸，忽取煤書壁上，云：「雲意不知滄海，春光欲上翠微，人間一墮千刼，猶愛梅花未歸。」書畢度海而去，豈非野人之儔侶乎（註三）？

註一：葛洪神僊傳序：「予著內篇，論神仙之事，凡二十卷。弟子滕升問曰：『……古之得仙者，豈有其人乎？』」

註二：正統道藏太平部「諸」字號、道教義樞卷二「三洞義第五」引眞一自然經：「洪號抱朴子，以晉建元二年三月三日於羅浮山付弟子海安君、望世等，至從孫巢甫，以晉隆安之末傳道士任延慶、徐靈期之徒。相傳於世，于今不絕。」（古今圖書集成博物彙編神異典卷二百三十六引武進縣志亦同）

註三：見正統道藏洞眞部「淡」字號、歷世眞僊體道通鑑卷二十四。又：古今圖書集成方輿彙編山川典卷一百八十九引羅浮山記：「正座塑葛洪，旁有黃野人侍立。」

九、嵇含——葛洪之友

嵇含，字君道。祖喜，徐州刺史。父蕃，太子舍人。家在鞏縣（河南今縣）亳丘。生於魏元帝景

元四年（西元二六三年），卒於晉惠帝光熙元年（西元三〇六年） 得年四十有四（註一）。自號亳丘子，門曰歸厚之門，室曰愼終之室。晉惠帝永熙元年（西元二九〇年），二十八歲，楚王司馬瑋辟爲掾。明年，瑋伏誅，含坐免。擧秀才，除郎中。

含好學，能屬文，惟早慧氣盛，嘗爲弔文以刺帝婿弘農王粹，使之有愧色（註二）。齊王司馬冏辟爲征西參軍，襲爵武昌鄉侯。其後齊王冏因亂被斬，乃受長沙王司馬乂召爲驃騎記室督、尙書郎。含長於參謀，乂每從其議。晉惠帝永興元年（西元三〇四年）正月，乂爲成帝王司馬穎所殺。懷帝爲撫軍將軍，以含爲從事中郎。七月，惠帝北征，轉中書侍郎。己未（二十四日），蕩陰（今河南湯陰縣）之敗，含走歸滎陽（河南今縣）。旋，除太弟中庶子，以西道阻閡，未得應召。翌年八月，含年四十三，范陽王司馬虓爲征南將軍，屯許昌，復以含爲從事中郎。尋授振威將軍、襄城太守。十月，虓爲豫州刺史劉喬所破，含奔鎭南將軍劉弘於襄陽，弘待以上賓之禮。惠帝光熙元年（西元三〇六年），以廣州刺史王毅病卒，劉弘表含爲平越中郎將、廣州刺史、假節。八月，未發，會弘卒，時或欲留含領荆州。以含性剛躁，素與弘司馬郭勱有隙，勱疑含將爲己害，夜掩殺之，時年四十四。懷帝卽位，諡曰憲（註三）。

含生前好薦達賢才，嘗表請葛洪爲參軍。此雖非洪之所樂，然利可避地於南，故勉就焉。而洪亦深慕嵇含之情，引爲「故人」知己（註四）。

註一：資治通鑑卷八十六、晉紀八、惠帝光熙元年：「秋八月……會新城元公劉弘卒，司馬郭勱作亂，欲迎穎爲主；

郭舒奉弘子璠以討勱，斬之。」是劉弘之卒，在晉惠帝光熙元年；今據晉書卷八十九嵇含傳，含亦於劉弘卒年被害，得年四十四，往前逆算，嵇含當生於魏元帝景元四年。

註二：晉書卷八十九嵇含傳：「時弘農王粹以貴公子尚主，館宇甚盛，圖莊周于室，廣集朝士，使含爲之讚。含援筆爲弔文。……粹有愧色。」晉書卷四十二王濬傳：「（晉武帝）太康十年（西元二八九年），武帝詔粹尙潁川公主，仕至魏郡太守。」

註三：詳見晉書卷八十九嵇含傳。

註四：抱朴子外篇卷五十自敍篇：「（葛洪）徑詣洛陽……正遇上國大亂，北道不通，而陳敏又反於江東，歸塗隔塞。會有『故人』譙國（今河南鞏縣）嵇君道，見用爲廣州刺史，乃表請洪爲參軍。雖非所樂，然利可避地於南，故黽勉就焉。見遣先行催兵，而君道於後遇害，遂停廣州。」晉書卷七十二葛洪傳：「洪見天下已亂，欲避地南土，乃參廣州刺史嵇含軍事。及含遇害，遂停南土多年。」

按：嵇含與葛洪之相識，不知始自何年，惟就晉惠帝永興元年（西元三〇四年），葛洪平定石冰事後，徑北上洛陽，搜尋異書，以廣見聞，然礙於戰亂，路塗阻隔，故曰「上國大亂，北道不通」，因而欲返故里。又以陳敏據江東作亂，不得回。迨惠帝光熙元年（西元三〇六年）年初，劉弘表嵇含爲廣州刺史；含再表洪爲參軍，今就葛洪抱朴子自敍篇稱「會有『故人』譙國嵇君道，見用爲廣州刺史」等語，既云「故人」，其二人之交往，早於光熙元年之前，應無疑問。

有關嵇含與葛洪結識並成至交，同好仙術，乃二人交好之由。抱朴子內篇卷二十祛惑篇：「昔有古強者，……年八十許，尚聰明，不大羸老，時人便謂之爲仙人，或謂之千載翁者，揚州稽使君，聞而試迎之於宜都。……稽使君曾以一玉卮與強（者）。」而清孫星衍校正以謂「揚」當作「廣」，「稽」當作「嵇」，則前項引文，乃謂嵇含也。如是，則君道亦好仙術，此或爲洪與之交好之故歟！

又抱朴子外篇佚文中，有五則談及君道，洪對其贊賞、敬佩之情，自然流露。君道之死，洪因感富貴不可彊求，而益堅定求道之志，數辭州郡之辟焉。雖含好薦達賢才，表請洪爲參軍，亦可知二人非泛泛之交矣，蓋抱朴子自敍篇，葛洪嘗言「非類則不妄受其餽致」。如是，「非類」自亦不受其表薦也。茲附抱朴子外篇佚文三則，以見二人之交甚篤：

「友人滕永叔問吾：『嵇君道何如人？』余答曰：『一代偉器也。豪摛英觀，難與並驅。』」(見北堂書鈔卷二百)

「抱朴子曰：友人嵇君道，爲廣州刺史。其弟應靜爲太傅從事中郎，別於襄陽。君道泣而應靜不泣。抱朴子以爲丈夫宜然。」(見太平御覽卷二百四十九)

「余嘗問嵇生曰：『左太沖、張茂先可謂通人乎？』君道答曰：『通人者，聖人之次也，其間無所復容。』」(見意林卷四)

十、鄧嶽——葛洪之友

鄧嶽，字伯山，陳郡（今河南淮陽縣）人。本名岳，以犯康帝諱，改爲嶽，後又改名爲岱。嶽少有將才，爲王敦參軍，轉從事中郎、西陽太守。晉明帝太寧二年（西元三二四年），七月，王含構逆，嶽領兵隨含向京師。月抄，含敗，嶽與周撫俱奔蠻王向蠶。後遇赦，與撫俱出。久之，司徒王導命爲從事中郎，後復爲西陽太守（註一）。

晉成帝咸和二年（西元三二七年）大司農蘇峻反，平南將軍溫嶠遣嶽與督護王愆期、鄱陽太守紀睦等，率水師赴難。峻平，還郡。咸和五年（西元三三〇年）正月，大司馬陶侃使嶽率西陽之衆，伐江州刺史郭默。五月，默平，帝詔以陶侃都督江州，領刺史，以鄧嶽遷督交廣二州軍事、建武將軍、領平越中郎將、廣州刺史、假節，錄前後勳，封宜城縣伯。成帝咸康二年（西元三三六年）冬，十月，嶽遣督護王隨等襲夜郎、興吉，皆克之。加嶽督寧州、晉征虜將軍，遷平南將軍（註二）。咸康五年（西元三三九年）三月，乙丑，嶽將兵擊漢寧州。漢建寧太守孟彥執其刺史霍彪以降（註三）。卒於官。

晉成帝咸和七年（西元三三二年），葛洪聞交阯產丹，欲祈遐壽，請為句漏令。洪率子姪南下赴任，至廣州，為刺史鄧嶽所留，乃止於羅浮山。其後，嶽又表洪補東官太守，洪辭不肯就（註四）。嶽乃以洪兄子望為記室參軍。晉康帝建元元年（西元三四三年），葛洪居羅浮山有年，一日，鄧嶽忽接葛洪來書，云：「當遠行尋師，尅期便發。」嶽得書，心知有異，往別，而洪已亡（註五）。

據晉書卷九十七林邑國傳暨資治通鑑卷九十八、晉紀二十所載，晉穆宗永和三年（西元三四七年），林邑國范文攻陷日南；永和五年（西元三四九年）又大敗晉將滕畯所率交、廣之兵於盧容。惟均未提及鄧嶽督戰事，疑其時或已去職，或已棄世。復依晉書卷八穆帝紀暨卷九十七林邑國傳，得知滕含於穆帝升平五年（西元三六一年）之前，已膺廣州刺史。換言之，鄧嶽至遲於是年之前已離廣州刺史之職矣！

依清萬斯同東晉方鎮年表暨吳廷燮東晉方鎮年表，晉成帝咸和五年五月，嶽平郭默之亂，始領廣州刺史。至康帝建元二年（西元三四四年）嶽卒，其弟逸代之，如是，嶽領廣州共歷十五年。

註一：見晉書卷八十一鄧嶽傳暨資治通鑑卷九十三、晉紀十五。

註二：見資治通鑑卷九十五、晉紀十七。

註三：見資治通鑑卷九十六、晉紀十八。

註四：見本年譜「五十歲」所引資料。

註五：見本年譜「六十一歲」所述。

十一、干寶——葛洪之友

干寶，字令升，新蔡（河南今縣）人也。祖統，吳奮武將軍、都亭侯。父瑩，丹楊丞。干寶於晉愍帝建興三年（西元三一五年），平杜弢有功，賜爵關內侯（註一）。

寶少勤學，博覽書記，以才器召爲佐著作郎（註二）。先時（太興初），東晉草創，未置史官，司徒王導奏薦干寶、王隱及郭璞諸人，參與晉史編纂（註三），元帝納焉。於是寶始領國史。晉成帝咸和元年（西元三二六年），王導召葛洪補州主簿，轉司徒掾，遷諮議參軍。是年，干寶始識葛洪，見其才堪史職，乃薦修史，選爲散騎常侍、領大著作。葛洪固辭不就（註四）。

干寶曾以家貧，求補山陰令，遷始安太守。王導請爲司徒右長史，遷散騎常侍。著晉紀，自宣帝迄愍帝五十三年，凡二十卷（註五），晉書本傳評「其書簡略，直而能婉，咸稱良史」。其書今佚，不可復得。

寶性好陰陽術數，留思京房、夏侯勝等傳。晉書本傳嘗記其父婢於父墓中服侍其父十餘年，又得生還、嫁夫、生子。又記其兄嘗因病氣絕，積日不冷，後遂有所悟，述所見天地間鬼神事，如夢覺，不自知死。干寶遂以此類天下奇聞異事，集古今神祇靈異人物變化，撰搜神記，凡三十卷。寶又著作春秋左氏義外傳，並注周易、周官數十篇，另有雜文集，惜均亡佚不傳（註六）。

註一：見本年譜「三十三歲」所述。
註二：見晉書卷八十二干寶傳。
註三：見晉書卷六十五王導傳、卷六十八賀循傳、卷八十三王隱傳。
註四：見本年譜「四十四歲」所引資料。
註五：晉紀、隋志作「二十三卷」、唐志作「二十二卷」，今依晉書本傳作「二十卷」。
註六：見晉書卷八十二干寶傳。

十二、顧颺——葛洪之友

顧颺，本餘杭令，嘗於晉愍帝建興二年（西元三一四年），與葛洪偕至轄內大辟山造訪郭文，而攜與俱歸（註一）。颺以文山行或需皮衣，贈以韋袴褶一具。文不納而辭歸山中。颺追遣使者置衣於郭文室中，文亦無言。及至韋衣爛於戶內，竟不服用（註二）。

晉成帝咸和二年（西元三二七年）蘇峻反，王師敗績，顧颺從兄顧衆於吳潛圖勤王。吳郡內史蔡謨乃檄衆為郡國督護、揚威將軍；颺為威遠將軍、前鋒督護。吳中人士同聲響應。蘇峻遣將弘徽領甲卒五百，鼓行而來。衆與颺迎擊弘徽，戰於高莋，大破之，收其軍實。衆令颺率諸軍屯無錫，但為蘇峻部衆張健、馬流所敗，無賜失守（註三）。

今據晉書卷六明帝紀，晉明帝太寧二年（西元三二四年）十二月，壬子，「沈充故將顧颺反於武康（今浙江省吳興縣南），攻燒城邑，州縣討斬之」云云，得知顧颺又曾為沈充舊部，自造反事敗，伏誅。

註一：顧賜葛洪俱訪郭文時間之推算，詳見本年譜「三十二歲」所引資料。
註二：見晉書卷九十四郭文傳。
註三：見晉書卷七十六王舒傳暨顧衆傳。

十三、滕永叔——葛洪之友

北堂書鈔卷一百引抱朴子佚文：「友人滕永叔問吾：『嵇君道何如人？』余答曰：『一代偉器也。豪摛英觀，難與並驅。』」是可知滕永叔爲葛洪之友，惜乏史料可稽，生平不詳。

十四、鮑敬言——葛洪之友

鮑敬言，生平無傳。曾與葛洪辯難君主政體之優劣，見於抱朴子外篇卷四十八詰鮑篇中。其論云：曩古之世，民性淳樸；友麋鹿而棲飛鳥，羣龍鱗而遊飢虎；機心不生，恢爾自得。後世有君，故彊者凌弱，智者詐愚，飾僞萌生矣。爲君，故力寡而制民；爲民，故煎擾而困苦。多欲，而眞正之心亂；利勢，而刧奪之塗開。使桀紂逞其獸行，窮驕淫之惡，肆炮烙之虐，內聚曠女，外多鰥男，宿衞有徒食之衆，百姓多羸死之殍。民凍且飢，冒法斯濫。且君臣既立，變化遂滋。王者憂苦於上，台鼎顰䫉於下，臨深履薄，懼禍之及；故尙賢厚賂，誘民餌貪，禍在其後矣！爭簒弒奪，世世不絕，豈非明證。是以君位實爲禍天下之根本，亟宜去之。

文中載其攻詆君主專制之流弊，暴露煢子黎庶之困憊，嚮往太古無君之逸樂；實爲當時反君權之大膽言論。

或謂鮑君本於老子「無爲而治」之旨，創無政府主義之言；或謂鮑君乃葛洪虛擬之人，藉以抒其胸臆，未必眞有其人。

第六章　葛洪著作考

葛洪著作，依典籍所載，計有下列六十餘種：㈠抱朴子內篇二十卷、外篇五十卷；㈡抱朴子內篇佚文一卷、外篇佚文一卷；㈢抱朴子別旨一卷；㈣喪服變除一卷；㈤要用字苑一卷；㈥西京雜記二卷；㈦史記鈔十四卷；㈧漢書鈔三十卷；㈨後漢書鈔三十卷；㈩吳志鈔一卷；(十一)關中記一卷；(十二)幙阜山記一卷；(十三)良吏傳十卷；(十四)隱逸傳十卷；(十五)集異傳十卷；(十六)郭文傳；(十七)神仙傳十卷；(十八)神仙傳略一卷；(十九)漢武內傳三卷；(二十)馬陰二君內傳一卷；(二十一)涉史隨筆一卷；(二十二)老子道德經序訣二卷；(二十三)老子道德經節解二卷；(二十四)老子戒經一卷；(二十五)莊子十七卷；(二十六)葛仙翁敍一卷；(二十七)葛仙翁歌訣一卷；(二十八)葛仙公杏仁煎方一卷；(二十九)太一眞君固命歌一卷；(三十)五岳眞形圖文一卷；(三十一)五金龍虎歌一卷；(三十二)隱論雜訣一卷；(三十三)抱朴子神仙金汋經三卷；(三十四)金木萬靈訣一卷；(三十五)運元眞氣圖一卷；(三十六)爐鼎要妙圖經一卷；(三十七)胎息術一卷；(三十八)太清玉碑子一卷；(三十九)大丹問答一篇；(四十)抱朴子養生論一卷；(四十一)元始上眞衆仙記一卷；(四十二)枕中書一卷；(四十三)玉策記；(四十四)稚川眞人校證術一卷；(四十五)遁甲要諸書；(四十六)龜決二卷；(四十七)周易雜占十卷；(四十八)天論一篇；(四十九)兵法孤虛月時祕要法一卷；(五十)陰符十德經一卷；(五十一)肘後方六卷；(五十二)玉函煎方五卷；(五十三)金匱藥方一百卷；

(五四)還丹肘後訣三卷；(五五)神仙服食藥方十卷；(五六)黑髮酒方一卷；(五七)孤剛子萬金決二卷；(五八)序房內祕術一卷；(五九)抱朴君書一卷；(六十)移檄章表三十卷；(六一)碑誄詩賦百卷。其中或係葛洪所著、所撰、所編、所抄者，亦有後人節錄抱朴子原文、或抱朴子佚文成書者，甚或爲後人所傳會者。玆一一考證如下：

一、抱朴子內篇二十卷、外篇五十卷

抱朴子內外篇成書於葛洪三十五歲時，正值其人格、學識成熟之際，葛氏將當時神仙修煉之法與好道風尚及其生平、思想、個性、特長，悉數融入書中，實爲研究葛洪及魏晉道術之寶藏。

葛洪自謂「忝爲儒者之末」，三不朽之義，深植其心，所著子書內外篇等，「且欲緘之金匱，以示識者」（晉書本傳語），故「凡著內篇二十卷，外篇五十卷，……其內篇言神僊、方藥、鬼怪、變化、養生、延年、禳邪、却禍之事，屬道家。其外篇言人間得失、世事臧否，屬儒家」（外篇自敘語）。本書要義，可以想見。

觀抱朴子著錄書目，皆將內篇屬之道家或神仙家類；而外篇絕不入儒家而歸之雜家，抑外篇兼採道術，實乏儒者忠信道德之質歟？

現存抱朴子以明世宗嘉靖四十四年（西元一五六五年）重刋明英宗正統十年（西元一四四五年）道藏本系統之承訓書院魯藩本者最古，見收於四部叢刋。明烏程盧舜治、吳興愼懋官亦參校此本，各爲刋行抱朴子，惟或有脫誤。清孫星衍遂以盧本、道藏本、天一閣鈔本、盧文弨手校明刻本、葉林宗家鈔本及明嘉靖魯藩刋本合而校之，釐其錯簡，正其誤字，是爲今傳孫校本抱朴子。

今輯有關抱朴子之書錄篇目，大別爲三類，序列於后：

㈠抱朴子著錄書目：

△隋書卷三十四、經籍志三、「子」部、「道」家：「抱朴子內篇二十一卷、音一卷，葛洪撰。」

隋書卷三十四、經籍志三、「子」部、「雜」家：「抱朴子外篇三十卷，葛洪撰。梁有五十一卷。」

△舊唐書卷四十七、經籍志下、丙部子錄、道家類：「抱朴子內篇二十卷，葛洪撰。」

舊唐書卷四十七、經籍志下、丙部子錄、雜家類：「抱朴子外篇五十卷，葛洪撰。」

△新唐書卷五十九、藝文志三、丙部子錄、道家類：「抱朴子內篇二十卷，葛洪。」

新唐書卷五十九、藝文志三、丙部子錄、雜家顱：「抱朴子外篇二十卷，葛洪。」

△宋史卷二百五、子類、雜家類：「葛洪抱朴子內篇二十卷，又抱朴子外篇五十卷。」

△晉書卷七十二葛洪傳：「故予所著子（書）言黃白之事，名曰內篇；其餘駁難通釋，名曰外篇；大凡內外一百一十六篇。」

△南唐馬總意林卷四：「抱朴子四十卷。」清周廣業注：「外篇二十卷、內篇二十卷。」

△宋鄭樵通志藝文略第五、諸子類、道家：「抱朴子內篇二十卷，葛洪撰。」

宋鄭樵通志藝文略第六、諸子類、雜家：「抱朴子外篇三十卷，葛洪撰。」

△宋王堯臣崇文總目卷二十五、子部、道家類：「抱朴子內外篇二十卷，葛洪撰。」

宋王堯臣崇文總目卷二十六、子部、雜家類：「抱朴子外篇二十卷，葛洪撰。」

△宋尤袤遂初堂書目道家類：「抱朴子內外篇。」

△宋晁公武郡齋讀書志卷三上、子部、道家類：「抱朴子內篇二十卷、外篇十卷，晉葛洪撰。」

△宋陳振孫直齋書錄解題卷九、道家類：「抱朴子二十卷，晉句漏令丹陽葛洪稚川撰。……此二十卷者，內篇也。館閣書目有外篇五十卷。」

△元馬端臨文獻通考卷二百二十五、經籍考、「子」部、「神僊家」類：「抱朴子內篇二十卷。」

元馬端臨文獻通考卷二百十四、經籍考、「子」部、「雜家」類：「抱朴子外篇十卷。」

△明葉盛菉竹堂書目卷四：「抱朴子三册。」

△明宋濂諸子辯：「抱朴子，晉葛洪撰。……著內篇二十卷，言神仙黃白變化之事。外篇十卷，駁難通釋。」

△明胡應麟四部正僞卷中：「抱朴子內外篇四十卷，晉葛洪稚川撰。」

△清錢謙益絳雲樓書目「子」部、「道家」類：「抱朴子十卷。」

清錢謙益絳雲樓書目「子」部、「道家」類：「抱朴子外篇二十卷。」

△清錢曾述古堂藏書卷二、「子」部：「抱朴子內篇二十卷，四本；抱朴子外篇五十卷，四本。」

△清黃丕烈蕘圃藏書題識卷六、子部：「抱朴子內篇二十卷、外篇五十卷，舊鈔本；抱朴子殘本八卷，鈔本。」

△清陸心源皕宋樓藏書志卷六十六：「抱朴子內篇二十卷、外篇五十卷，舊抄本，黃蕘園舊藏，晉葛

洪撰。」

△清丁丙善本書室藏書志卷二十二：「抱朴子內篇二十卷、外篇五十卷，晉葛洪。明魯藩刋本。」

△四庫全書總目提要卷一百四十六、子部、道家類：「抱朴子內外篇八卷，江蘇巡撫採進本。」

△日本國見在書目、廿五、道家：「抱朴子內篇廿一，葛洪撰。」

日本國見在書目、卅、雜家：「抱朴子外篇五十，葛洪撰。」

△民國張心澂僞書通考子部、道家：「抱朴子八卷。」

㈡抱朴子今本知見書錄：

△抱朴子內篇二十卷、外篇五十卷。

1.正統道藏、太清部、「疲」字帙至「志」字帙

2.平津館叢書（嘉慶本）

3.道藏舉要第五類

4.叢書集成初編、哲學類

5.四部叢刋、子部

6.諸子集成（世界書局本、中華書局本）、第八册

△抱朴子內篇四卷、外篇四卷

1.四庫全書、子部、道家類

2.摛藻堂四庫全書薈要、子部
3.子書百家、道家類
4.百子全書、道家類
5.廣漢魏叢書（嘉慶本）、子餘
△葛稚川內篇四卷、外篇四卷
1.寶顏堂祕笈（萬曆本）、彙集
△抱朴子一卷
1.增定漢魏六朝別解、子部
△抱朴子四則
1.舊小說（民國本、一九五七年本）、甲集
△抱朴子
1.說郛（商務印書館本）、卷八
△抱朴子內篇二十卷、外篇五十卷、附篇一卷（晉葛洪撰，附篇清繼昌等撰）
1.平津館叢書（光緒本）
2.四部備要、子部、雜家
△抱朴子不分卷

1.重刊道藏輯要、虛集

△抱朴子佚文一卷（清、王仁俊輯）

1.經籍佚文

△抱朴子（明、歸有光輯評）

1.諸子彙函

△抱朴子斠言一卷（清、觀頮道人輯）

1.閏竹居叢書

△讀抱朴子一卷（清、俞樾撰）

1.春在堂全書、曲園雜纂

△抱朴子平議補錄（清、俞樾撰）

1.諸子平議補錄（李天根念劬堂本、世界書局排印本）

△抱朴子校記一卷（民國、羅振玉撰）

1.永豐鄉人雜著續編

△抱朴子外篇二卷

1.二十家子書

㈢抱朴子諸家序跋：

△晉書葛洪傳抱朴子自序（見晉書卷七十二）

△明魯藩刻抱朴子敍（商務印書館四部叢刊本有收）

嘉靖乙丑歲（四十四年，西元一五六五年）仲秋朔日序。

△清方維甸校刋抱朴子內篇序（世界書局排印本有收）

嘉慶十七年（西元一八一二年）七月甲戌日序。

△清孫星衍新校正抱朴子內篇序（世界書局排印本有收）

嘉慶十八年（西元一八一三年）十月序，見孫淵如外集卷三。

△清孫星衍抱朴子內篇敍錄

見孫淵如外集卷三。

△清錢謙益跋抱朴子

見牧齋有學集卷四十六。

△清錢大昕跋抱朴子

見潛研堂文集卷二十七。

△清吳德旋書抱朴子後（二篇）

見初月樓文鈔卷一。

△清顧千里抱朴子外篇序

見思適齋集卷九。

△清嚴可均蓮龕方伯手校抱朴子外篇跋（世界書局排印本有收）

嘉慶二十三年（西元一八一八年）二月晦日跋。

△清嚴可均代繼蓮龕爲抱朴子叙

見鐵橋漫稿卷六。

△清嚴可均代繼蓮龕叙抱朴子校勘記（世界書局排印本有收）

嘉慶二十二年（西元一八一七年）十月二十六日序。

見鐵橋漫稿卷六。

△清嚴可均代繼蓮龕叙抱朴子佚文

見鐵橋漫稿卷六。

△清鈕樹玉讀抱朴子

見匪石先生文集下卷。

△清陳其榮重刋抱朴子識（世界書局排印本有收）

光緒十五年（西元一八八九年）二月識。

△清傅增湘明鈔抱朴子跋

見藏園群書題記初集卷四。

△民國羅振玉抱朴子殘卷校記序

見羅雪堂先生全集續編一、松翁近稿卷一。

二、抱朴子內篇佚文一卷、外篇佚文一卷

△清黃逢元補晉書藝文志卷三、丙部子錄、道家類：「抱朴子內篇佚文一卷，葛洪撰，見平津館叢書繼昌錄，又嚴可均全晉文輯存。」

△清黃逢元補晉書藝文志卷三、丙部子錄、雜家類：「抱朴子外篇佚文一卷，葛洪撰，見平津館叢書繼昌輯，又嚴可均全晉文輯存。」

案：輯佚抱朴子，聿乎南唐馬總。馬氏摘錄周秦以來七十一家雜記，多者十餘句，少也一、二言，以成意林一書；其卷四所錄抱朴子一百四條，今多不傳，大略之功存焉。迨及有清，儒碩踵事蒐求，遂有斐然之觀。而嚴可均之輯，尤爲此中翹楚。嚴氏輯校全晉文卷一百十七，輯錄抱朴子佚文，計輯得內篇佚文一卷五十一條、外篇佚文一卷一百條，誠如嚴氏自謂「片語單辭，罔弗綜錄」也。吉光片羽，皆足珍重。

三、抱朴子別旨一卷

△宋鄭樵通志藝文略第五、諸子類、道家、修養：「抱朴子別旨一卷，葛洪撰。」

△宋史卷二百五、藝文志四、子類、道家類：「抱朴子別旨二卷，不知作者。」

△清丁國鈞補晉書藝文志卷四、丁部集錄、道家類：「抱朴子別旨一篇，葛洪。謹按：見道藏目錄，

此文言導引行氣，與抱朴子內篇中釋滯篇相類。」

△清文廷式補晉書藝文志卷四、子部、神仙家類：「抱朴子別旨二卷，宋史藝文志著錄，云不知作者。今道藏本抱朴子內篇後附此書一卷，凡五百六十餘言，蓋依託也。」

△清秦榮光補晉書藝文志卷三、子部、道家類：「抱朴子別旨一卷，葛洪撰，據通志略。」

△清黃逢元補晉書藝文志卷三、丙部子錄、道家類：「抱朴子別旨二卷，見宋志，入道家，注云『不知作者』。」

△吳士鑑補晉書經籍志卷三、丙部子錄、道家類：「葛洪抱朴子別旨一卷，見通志略。」

案：抱朴子別旨一卷，又見於明白雲霽道藏目錄詳註卷四，誠如文廷式氏所言，附於道藏本抱朴子內篇後。文中言「導引行氣」之法，與抱朴子內篇卷八釋滯篇相類，疑乃後世道流推衍而成。

四、喪服變除一卷

△隋書卷三十二、經籍志一、「經」部、「禮」類：「喪服變除一卷，晉散騎常侍葛洪撰。」

△舊唐書卷四十六、經籍志上、甲部經錄、禮類：「喪服變除一卷，戴德撰。喪服變除一卷，鄭玄撰」。

△新唐書卷五十七、藝文志一、甲部經錄、禮類：「喪服變除一卷。」（不著撰人）

（書同名，惟撰者異。）

△清丁國鈞補晉書藝文志卷一、甲部經錄、禮類：「喪服變除一卷，葛洪。謹按：見隋志。」

△清文廷式補晉書藝文志卷一、經部、禮類：「葛洪喪服變除一卷（散騎常侍）。馬國翰曰：今佚，

陸德明儀禮釋文引一事，杜佑通典引二節而已（案通志卷八十七）。」

△清秦榮光補晉書藝文志卷一、經部、禮類、儀禮之屬：「喪服變除一卷，葛洪撰。」

△清黃逢元補晉書藝文志卷一、甲部經錄、禮類：「喪服變除一卷，散騎常侍丹陽葛洪稚川撰，見隋志。儀禮釋文引存一事，通典八十七引存二事。洪有傳。」

△吳士鑑補晉書經籍志卷一、甲部經錄、禮類：「葛洪喪服變除一卷，見隋志。」

案：晉書葛洪傳及抱朴子自敍篇皆謂葛洪「抄五經，……別有目錄」，此或是書之一。唐陸德明經典釋文卷十儀禮音義喪服經傳第十一中，「一溢」注云「王肅、劉逵、袁準、孔倫、葛洪皆云滿手曰溢」；唐杜佑通典卷八十七「五服成服及變除附」條下，亦引葛洪二則說解，可見唐時洪之喪服變除仍存於世。清馬國翰玉函山房輯佚書經編儀禮類所輯「葛氏喪服變除」，或即此書。

五、要用字苑一卷

△隋書卷三十二、經籍志一、「經」部、「小學」類：「要字苑一卷，宋豫章太守謝康樂撰。」

△舊唐書卷四十六、經籍志上、甲部經錄，小學類：「要用字苑一卷，葛洪撰。」

△新唐書卷五十七、藝文志一、甲部經錄、小學類：「葛洪要用字苑一卷。」

△清丁國鈞補晉書藝文志卷一、甲部經錄、小學類：「要用字苑，葛洪。謹按：見兩唐志。是書隋志不著錄，然顏氏家訓亟引之，則其盛行於北方可知。隋志蓋承阮氏七錄，偶失載也。」

△清文廷式補晉書藝文志卷一、經部、小學類：「葛洪要用字苑一卷。（梁書文學劉杳傳有人餉任昉楮酒而作棖字，昉問杳此字是否？杳對曰：葛洪字苑作木旁肴）見舊唐志。馬國翰輯此書得三十四條，序錄云：隋志不載，然顏之推家訓亟引之，則其書盛行於北。隋志承梁七錄，偶失未載也。今按梁書劉杳傳，杳嘗引是書，則南朝亦應有之。又卷十四又引氈毹，字苑作氍氀，同強朱、雙朱切。又樘，字苑作棖，丈庚反。卷十字苑作凹，陷也、凸起也。元和姓纂卷四引作葛洪要字。顏氏家訓書證篇曰：光景之景，至葛洪字苑，旁始加彡，音於景反。又音辭篇曰：焉皆音於愆反，自葛洪要用字苑，分訓若訓何，音於愆反；送句助詞，音矣愆反，蓋此書乃變古入俗之書矣。」

△清秦榮光補晉書藝文志卷一、經部、小學類：「要用字苑，葛洪撰，據唐志。案顏之推家訓亟引之，郭忠恕曰：形景爲影，本於稚川字苑。」

△清黃逢元補晉書藝文志卷一、甲部經錄、小學類：「要用字苑一卷，葛洪撰，見唐新舊志。元和姓纂二十七刪顏姓條，引作『葛洪要字』，今存馬國翰輯本一卷。」

△吳士鑑補晉書經籍志卷一、甲部經錄、小學類：「葛洪要用字苑一卷，見兩唐志，顏氏家訓亦引之。」

案：抱朴子外篇卷五十自敍篇暨晉書卷七十二葛洪傳，皆記其所著篇目，惟均未見此書之名，隋志亦然，至唐志始予著錄。北齊顏之推撰顏氏家訓，亟引此書（如卷十七書證篇、卷十八音辭篇），皆謂「葛洪」所撰。梁書卷五十劉杳傳：「有人餉（任）昉楮酒，而作『棖』字。昉問杳：『此字是不？』杳對曰：『葛洪字苑作木旁肴』。」是證斯時已有此書，且盛行當世；隋志或因承梁七錄而偶失載也。唐林寶編元和姓纂，亦屢引用此書，如卷四「顏」姓「顓頊之後」；「羅校云『葛洪要纂……』，岑按：『葛洪要字……羅氏此條……又據改下文要字爲要纂。』」清馬國翰因輯佚要用字苑三十四條，載於玉函山房輯佚書小學類，其序云：「今佚輯錄三十四條，字收時俗所用，多出說文之外。」可見此書亦自成一格。

六、西京雜記二卷

△隋書卷三十三、經籍志二、「史」部、「舊事篇」類：「西京雜記二卷。」（不著撰人）

△舊唐書卷四十六、經籍志上、乙部史錄、起居注類：「西京雜記一卷，葛洪撰。」

△舊唐書卷四十六、經籍志上、乙部史錄、地理類：「西京雜記一卷，葛洪撰。」

△新唐書卷五十八、藝文志二、乙部史錄、故事類：「葛洪西京雜記二卷。」

△新唐書卷五十八、藝文志二、乙部史錄、地理類：「葛洪西京雜記二卷。」

△宋史卷二百三、藝文志二、史類、傳記類：「葛洪西京雜記六卷。」

△清丁國鈞補晉書藝文志附錄一卷、存疑類、史部：「西京雜記二卷，葛洪。謹按：見隋志。家大人曰：是書舊無撰人名，今據兩唐志補（册府元龜史部亦作葛洪撰）。考顏氏漢書注（匡衡傳下），稱是記出於里巷，不言撰者何人，段成式引庾信語，指爲吳均。陳晁兩家書目采其說。國朝盧召弓刊此書，則又力辨爲劉歆所作。各執一說，主名無定。今姑據唐志著錄（御覽引書目，亦作葛洪西京雜記）。」

△清秦榮光補晉書藝文志卷三、子部、小說家類：「西京雜記二（案直齋書錄、宋藝文志並作「六」）卷，葛洪撰，據舊唐志。」

△清黃逢元補晉書藝文志卷二、乙部史錄、舊事類：「西京雜記二卷，葛洪撰。隋志入舊事，脫撰人。舊唐志題云『洪撰』，新唐志列地理，宋志列傳記，四庫目列子部小說。宋黃長睿東觀餘論謂事皆劉歆所記，葛稚川采之。唐段成式酉陽雜俎語資篇載庾信語：是書爲吳均依託。今存。」

△吳士鑑補晉書經籍志卷二、乙部史錄、舊事類：「葛洪西京雜記二卷，隋志不著撰人，兩唐志均重見地理類，舊志作一卷，宋志作六卷，玉海引崇文總目『西京雜記二卷』，郡齋讀書志亦作六卷，云江左人以爲吳均依託爲之，陳詩庭云今本六卷，或題劉歆撰，或題葛洪撰。」

案：有關西京雜記之作者，衆說紛紜，四庫全書總目提要卷一百四十「子部五十、小說家類一」、四庫提要辨證卷十七「子部八」、張心澂僞書通考史部「雜史」、讀書敏求記校證「卷二之下」、越縵堂讀書記「八、文學(6)雜記」及今人皆有專文論之，而莫知其是；以下列舉論及西京雜記作者之文爲證，並略述之：

1江安傅氏雙鑑樓藏明嘉靖壬子刋本西京雜記序：「洪家世有劉子駿漢書一百卷，無首尾題目，但以甲乙丙丁紀其卷數。先父傳之歆，欲撰漢書，編錄漢事，未得締構而亡。故書無宗本，止雜記而已。失前後之次，無事類之辨，後好事者以意次第之，始甲終癸爲十秩，秩十卷，合爲百卷。洪家具有其書，試以此記考校班固所作，殆是全取劉書，有小異同耳；幷固所不取，不過二萬許言，今抄出爲二卷，名曰西京雜記，以裨漢書之闕爾。後洪家遭火，書籍都盡，此兩卷在洪巾箱中，常以自隨，故得猶在。劉歆所記，世人希有，縱復有者，多不備足，見其首尾參錯，前後倒亂，亦不知何書，罕能全錄。恐年代稍久，歆所撰遂沒，并洪家此書二卷，不知出所，故序之云爾。洪家復有漢武帝禁中起居注一卷、漢武故事二卷，世人希有之者。今并五卷爲一秩，庶免淪沒焉。」

2. 唐顏師古漢書卷八十一匡衡傳注：「今有西京雜記者，其書淺俗，出於里巷，多有妄說。」

3. 唐段成式酉陽雜俎前集卷十六廣動植之一篇引西京雜記稱：「葛稚川嘗就上林令魚泉得朝臣所上草木名二十餘種。」

4. 唐張彥遠歷代名畫記卷四，說毛延壽、王昭君故事，云「見葛洪西京雜記」。

5. 余嘉錫四庫提要辨證卷十七：「宋晁伯宇續談助卷一、洞冥記後引張東之言曰：『昔葛洪造漢武內傳、西京雜記……並操觚鑿空，恣情迂誕，而學者耽閱，以廣聞見……』東之此文，專爲辨僞而作，而確信爲葛洪所造。」

提示：張東之，唐高祖武德八年至中宗神龍二年（西元六二五至七〇六年）在世。新唐書卷一百二十有傳。

6. 唐劉知幾史通卷十內篇雜述：「葛洪西京雜記……此之謂逸事者也。」又：卷二十外篇忤時：「孟堅所亡，葛洪刋其雜記。」

提示：劉知幾，唐高宗龍朔元年至唐玄宗開元九年（西元六六一至七二一年）在世。新唐書卷一百三十二有傳。

7. 唐徐堅初學記卷二十政理部賞賜第二、事對「青裘」：「葛洪西京雜記曰：『成帝好爲蹴踘……。』」又：同卷政理部貢獻第三、事對「白鷴、丹鵠」：「葛洪西京雜記曰：『閩越王獻高祖白各一雙……。』」

8. 清孫詒讓札迻卷十一：「案此書（西京雜記）塙爲稚川所假託，漢武帝禁中起居注、漢武故事，蓋亦同；故序幷及之。抱朴子論仙篇引漢禁中起居注，說李少君事與今本漢武帝內傳末附李少君傳略同，張柬之洞冥記跋云『昔葛洪造漢武內傳、西京雜記』。疑內傳卽起居注，後改題今名漢武故事。似亦卽今所傳本，蓋諸書皆出稚川手，故文亦互相出入。」

提示：抱朴子內篇卷二論仙篇，引有漢禁中起居注，言及李少君事，略同上文所述。又，葛洪神仙傳卷六亦有李少君傳。

9. 清盧文弨抱經堂文集卷七新雕西京雜記緣起：「隋書經籍志載此書於舊事篇，不著姓名；新舊唐書始題葛洪，且入之地理類，似全未寓目也。夫冠以葛洪，以洪鈔而傳之，猶說苑、新序之稱劉向，固亦無害。其文則非洪所自撰。」

10. 范烟橋中國小說史第三章第二節：「西京雜記二卷，劉歆撰。……劉歆……攻經史之學，嘗成漢書一百卷，爲班固所取資。見於葛洪跋有云：『今鈔出爲二卷，以補漢書之闕。』唐志因以著錄爲葛洪撰。至宋分爲六卷。筆墨雅近故事內傳，亦恣言漢宮奢侈狀。」西京雜記爲雜錄漢高祖以迄莽新時之裨文佚事。以此與葛洪之抱朴子參閱，可知其中別有玄機。如西京雜記卷三「茂陵富人袁廣漢」事，全不見於正史著錄，而竟見於抱朴子外篇卷三十六安貧篇所云「廣漢以好利喪身」，或即是西京雜記云「茂陵富人袁廣漢……後有罪誅」。再則西京雜記卷三之「公孫弘著公孫子，言刑名事」一節，亦不見於諸史，而抱朴子外篇卷四十二應嘲篇云「公孫刑名之論……」，正與之脈脈相承、同聲相應。故西京雜記當是葛洪雜鈔舊文而託名劉歆之名者。

七、史記鈔十四卷

△新唐書卷五十八、藝文志二、乙部史錄、雜史類：「葛洪史記鈔十四卷。」

△宋高似孫史略卷四、史鈔類：「葛洪史記鈔十五卷。」

△清丁國鈞補晉書藝文志卷二、乙部史錄、雜史類：「史記鈔十四卷，葛洪。謹按：見新唐志。」

△清文廷式補晉書藝文志卷二、史部、雜史類：「葛洪史記鈔十四卷。見唐志，高似孫史略作十五卷。」

△清秦榮光補晉書藝文志卷二、史部、史鈔類：「史記鈔十四卷，葛洪撰，據新唐志。」

△清黃逢元補晉書藝文志卷二、乙部史錄、雜史類：「史記鈔十四卷，葛洪撰，本隋志。史略十五卷。」

△吳士鑑補晉書經籍志卷二、乙部史錄、雜史類：「葛洪史記鈔十四卷，見唐志。」

案：抱朴子外篇卷五十自敘篇「又抄……七史……別有目錄」、晉書卷七十二葛洪傳「又抄……史、漢」云云，此史記鈔，當屬抄自司馬遷之史記者。

八、漢書鈔三十卷

△隋書卷三十三、經籍志二、「史」部、「雜史」類：「漢書鈔三十卷，晉散騎常侍葛洪撰。」

△新唐書卷五十八、藝文志二、乙部史類、雜史類：「葛洪漢書鈔三十卷。」

△宋高似孫史略卷四、史鈔類：「葛洪漢書鈔三十卷。」

△清丁國鈞補晉書藝文志卷二、乙部史錄、雜史類：「漢書鈔三十卷，散騎常侍葛洪。謹按：見隋志，新唐志亦著錄。」

△清文廷式補晉書藝文志卷二、史部、雜史類：「漢書鈔三十卷。西京雜記序曰：洪家世有劉子駿漢書一百卷，無首尾題目，但以甲乙丙丁紀其卷數（抱朴子論仙篇引漢禁中起居注云：少君將去，武帝夢與共登嵩高山云云，其辭甚怪，據此，則西京雜記未可爲吳均作也。」

△清秦榮光補晉書藝文志卷二、史部、史鈔類：「漢書鈔三十卷，葛洪撰。」

△清黃逢元補晉書藝文志卷二、乙部史錄、雜史類：「漢書鈔三十卷，葛洪撰，見隋志。」

△吳士鑑補晉書經籍志卷二、乙部史錄、雜史類：「葛洪漢書鈔三十卷，見隋唐志。」

案：由晉書本傳及抱朴子自敍篇，足證葛洪於漢史用力甚勤，西京雜記即爲個中佳作。此處漢書鈔，或係葛洪雜抄漢史湊合以成，或係後人鈔合葛洪漢史之文而成。

九、後漢書鈔三十卷

△舊唐書卷四十六、經籍志上、乙部史錄、雜史類：「後漢書抄三十卷，葛洪撰。」

△宋高似孫史略四、史鈔類：「葛洪後漢書鈔三十卷。」

△清丁國鈞補晉書藝文志卷二、乙部史錄、雜史類：「後漢書鈔三十卷，葛洪。謹按：見兩唐志。」

△清文廷式補晉書藝文志卷二、史部、雜史類：「後漢書鈔三十卷，見唐志。」

△清秦榮光補晉書藝文志卷二、史部、史鈔類：「後漢書鈔三十卷，葛洪撰，據唐志。」

△清黃逢元補晉書藝文志卷二、乙部史錄、雜史類：「後漢書鈔三十卷，葛洪撰，見新舊唐志。」

△吳士鑑補晉書經籍志卷二、乙部史錄、雜史類：「葛洪後漢書鈔三十卷，見兩唐志。」

案：抱朴子內篇卷三對俗篇，言及漢書、後漢書之處有二，而皆為神異之說；則此後漢書鈔，或亦抄輯後漢書中言神仙道術之事以成者。

十、吳志鈔一卷

△清文廷式補晉書藝文志卷二、史部、雜史類：「吳志鈔一卷，見高似孫史略。」

案：此書僅見於文氏所引宋高似孫史略之言，其餘諸史皆不見。

十一、關中記一卷

△宋史卷二百四、藝文志三、史類、地理類：「葛洪關中記一卷。」

△清丁國鈞補晉書藝文志附錄一卷、存疑類、史部：「關中記一卷，葛洪。謹按：崇文總目、中興書目、通考、宋志均著錄。家大人曰：疑實潘岳書，誤屬之洪也。列此俟更詳之。」

△清文廷式補晉書藝文志卷三、史部、地志類：「葛洪關中記一卷，見宋志。書錄解題云所載殊簡略，玉海引中興書目曰：關中記一卷，晉葛洪撰，載長安山川及宮殿陵廟。」

△吳士鑑補晉書經籍志卷二、乙部史錄、地理類：「潘岳關中記一卷，隋唐志並同。史記司馬相如傳索隱、文選西都賦注、北堂書鈔、太平御覽並引潘岳關中記，惟書錄解題及通考、宋志誤作葛洪撰。」

案：此書蓋爲潘岳所作，譌爲葛洪之名。舊唐書卷四十六「經籍志下、乙部史錄、地理類」、新唐書卷五十八「藝文志二、乙部史錄、地理類」查隋志並無載「潘岳關中記」者，吳士鑑氏失檢）、通志藝文略第四「地里」類、史記卷一百一十七司馬相如傳索隱、文選卷一西都賦注、文選卷十西征賦注、北堂書鈔卷一百六、初學記卷五又卷六、太平御覽卷一百七十九，均引作潘岳關中記。據此，知宋志、中興書目諸書作「葛洪撰」，誤。晉書葛洪傳及抱朴子自敘篇皆未著錄此書。

十二、幙阜山記 一卷

△清文廷式補晉書藝文志卷三、史部、地志類：「葛洪幙阜山記一卷，太平寰宇記一百六：分寧縣幕阜山，在縣西二百九十里，晉葛洪著山記一卷。書錄解題云：幙阜山記一卷，葛洪撰，其山在豫章。」

△清丁國鈞補晉書藝文志附錄一卷、存疑類、史部：「幙阜山記，葛洪。謹按：見書錄解題。」

△清秦榮光補晉書藝文志卷二、史部、地理類、山水之屬：「幙阜山記，葛洪撰，據直齋書錄。」

△清黃逢元補晉書藝文志卷二、乙部史錄、地理類：「幕阜山記一卷，葛洪撰，見陳錄又通志。寰宇記一百六云：分寧縣幕阜山，在縣西二百九十里，晉葛洪著山記一卷。今存。」

△吳士鑑補晉書經籍志卷二、乙部史錄、地理類：「葛洪幙阜山記一卷，書錄解題。」

案：此書之著錄，始於宋陳振孫直齋書錄解題卷二、史部、地理類。宋鄭樵通志、藝文略第四、地里、名山洞府類，亦曾著錄，惟不著撰人姓氏。又依太平寰宇記卷一百六，確知葛洪嘗入幕阜山修煉，今尚存數處遺跡。其書久佚，不得其詳。

十三、良吏傳十卷

△清丁國鈞補晉書藝文志卷二、乙部史錄、雜傳類：「良吏傳十卷，葛洪。謹按：見本書洪傳。」

△清秦榮光補晉書藝文志卷二、史部、傳記類、總錄之屬：「良吏傳十卷，葛洪撰，據本書傳。」

△清黃逢元補晉書藝文志卷二、乙部史錄、雜傳類：「良吏傳十卷，葛洪撰，見洪傳。」

案：此書僅見晉書卷七十二葛洪傳所載「著……良吏……等傳各十卷」，其餘諸史皆不見。

十四、隱逸傳十卷

△清丁國鈞補晉書藝文志卷二、乙部史錄、雜傳類：「隱逸傳十卷，葛洪。謹按：見本書洪傳。」

△清文廷式補晉書藝文志卷二、史部、雜傳類：「葛洪隱逸傳十卷，本傳。」

△清秦榮光補晉書藝文志卷二、史部、傳記類、總錄之屬：「隱逸傳十卷，葛洪撰，據本書傳。」

△清黃逢元補晉書藝文志卷二、乙部史錄、雜傳類：「隱逸傳十卷，葛洪撰，見洪傳，又抱朴子自序。」

案：晉書卷七十二葛洪傳「著……隱逸……等傳各十卷」、抱朴子外篇卷五十自敍篇「又撰高尚不仕者爲隱逸傳十卷」云云，是其嘗撰隱逸傳，惟其書已佚，不得其詳。

十五、集異傳十卷

△清丁國鈞補晉書藝文志卷二、乙部史錄、雜傳類：「集異傳十卷，葛洪。謹按：見本書洪傳。」

△清文廷式補晉書藝文志卷五、子部、小說家類：「葛洪集異傳十卷，本傳。」

△清秦榮光補晉書藝文志卷二、史部、傳記類、總錄之屬：「集異傳十卷，葛洪撰，據本書傳。」

△清黃逢元補晉書藝文志卷三、丙部子錄、小說家類：「集異傳十卷，葛洪撰，見洪傳。」

案：由晉書葛洪傳「著……集異等傳各十卷」，知葛氏確曾撰有集異傳。

十六、郭文傳

△清文廷式補晉書藝文志卷三、史部、雜傳類：「葛洪郭文傳，隱逸郭文傳曰『葛洪庾闡並為傳贊頌其美云』。」

△清黃逢元補晉書藝文志卷二、乙部史錄、雜傳類：「郭文傳，葛洪撰，見隱逸郭文傳。」

案：郭文，字文舉，河內軹人。喜山水，尚嘉遁。能知先機，避災難，隱居吳興餘杭大辟山。晉愍帝建興二年（西元三一四年），葛洪嘗偕餘杭令顧颺，至山中訪郭文。據晉書卷九十四郭文傳，晉成帝咸和三年（西元三二八年），郭文病逝，葛洪與庾闡敬仰其人有「未卜先知」之術，並為作傳，贊頌其美。惜不見傳世。詳見本書第五章「四」節。

十七、神仙傳十卷

△隋書卷三十三、經籍志二、「史」部、「雜傳」類：「神仙傳十卷，葛洪撰。」

△舊唐書卷四十六、經籍志上、乙部史錄、雜傳類：「神仙傳十卷，葛洪撰。」

△新唐書卷五十九、藝文志三、丙部子錄、道家類：「葛洪神仙傳十卷。」

△宋史卷二百五、藝文志四、子類、道家神仙類：「葛洪神仙傳十卷。」

△清丁國鈞補晉書藝文志卷二、乙部史錄、雜傳類：「神仙傳十卷，葛洪。謹按：見本書洪傳，隋志亦著錄。」

△清文廷式補晉書藝文志卷四、子部、神仙家類：「葛洪神仙傳十卷，今存。」

△清秦榮光補晉書藝文志卷三、子部、道家類：「神仙（案隋志、通志略並作『列仙』）傳十卷，葛洪撰，據唐志。案四庫提要云：據洪自序：抱朴子內篇既成之後，因其弟子滕升問仙人有無而作，凡八十四人。」

△清黃逢元補晉書藝文志卷二、乙部史錄、雜傳類：「神仙傳十卷，葛洪撰。本隋志，新舊唐志入子部道家。今存。」

案：劉向撰列仙傳，抱朴子內篇多處引用其文，如卷二論仙篇（註一）、卷三對俗篇、卷四金丹篇、卷八釋滯篇、卷十明本篇、卷十二辨問篇、卷十三極言篇、卷十六黃白篇、卷十八地眞篇、卷二十祛惑篇，或稱「劉向列仙傳」，或稱「仙經」，或稱「神仙經」，或謂之「神仙集」；劉宋裴松之三國志卷三十二蜀志先主傳注、卷四十九吳志士燮傳注，均引稱「葛洪神仙傳」者，可知晉宋間神仙傳已流行甚廣，惟所傳版本有異耳。正統道藏洞眞部記傳類「海」字帙下，收有劉向列仙傳二卷、沈汾續仙傳三卷，而無葛洪之神仙傳；又依抱朴子本文及神仙傳序（註二），其所謂「神仙傳」，蓋亦增補劉向列仙傳而成者也，後世不明，乃混二書爲一。

註一：抱朴子內篇卷二論仙篇：「劉向博學，……其所撰列仙傳，仙人七十有餘。……列仙傳炳然其必有矣。……劉向……撰列仙傳，自刪秦大夫阮倉書中出之。或所親見，然後記之，非妄言也。」

註二：抱朴子外篇卷五十自敍篇：「又撰俗所不列者爲神僊傳十卷。」晉書卷七十二葛洪傳：「著……神仙……等傳各十卷。」葛洪神仙傳序：「予著內篇論神仙之事凡二十卷。……神仙幽隱，與世異流。世之所聞者，猶千不得一者也。……劉向所述（神仙七十餘人），殊甚簡略，美事不舉。此傳雖深妙奇異，不可盡載，猶存大體。竊謂有愈於劉向多所遺棄也。」

十八、神仙傳略一卷

△清丁國鈞補晉書藝文志附錄一卷、存疑類、史部：「神仙傳略一卷，葛洪。謹按：崇文總目載此書，疑後人刪取葛氏神仙傳爲之。」

△清文廷式補晉書藝文志卷四、子部、神仙家類：「葛洪神仙傳略一卷，見崇文總目。」

△清秦榮光補晉書藝文志卷三、子部、道家類：「神仙傳略一卷，葛洪撰，據崇文目。」

△吳士鑑補晉書經籍志卷三、丙部子錄、道家類：「葛洪神仙傳略一卷，崇文總目入五行。」

案：清朱錫鬯輯釋崇文總目卷四，載「神仙傳略一卷，葛洪撰」，誠如丁國鈞氏所說，疑後人刪取葛洪神仙傳而成者。

十九、漢武內傳三卷

△隋書卷三十三、經籍志二、「史」部、「雜傳」類：「漢武內傳三卷。」
△宋史卷二百三、藝文志二、史類、傳記類：「漢武內傳二卷，不知作者。」
△清文廷式補晉書藝文志卷四、子部、神仙家類：「葛洪漢武內傳三卷，日本見在書目題『葛洪』，今從之。」

案：此書與漢武故事一卷、漢武帝內傳一卷二書有關，余嘉錫四庫提要辨證卷十八「子部九」、張心澂僞書通考史部「雜史」、讀書敏求記校證「卷二之中」皆論及之；唐張柬之嘗謂「昔葛洪造漢武內傳、西京雜記」，而西京雜記序亦云「(葛)洪家復有漢武帝禁中起居注一卷，漢武故事二卷，世人希有之者」，或卽此書之來源。

二十、馬陰二君內傳一卷

△隋書卷三十三、經籍志二、「史」部、「雜傳」類：「仙人馬君陰君內傳一卷。」
△舊唐書卷四十六、經籍志上、乙部史錄、雜傳類：「仙人馬君陰君內傳一卷，趙昇撰。」
△新唐書卷五十九、藝文志三、丙部子錄、道家類：「趙昇等仙人馬君陰君內傳一卷。」
△宋史卷二百五、藝文志四、子類、道家神仙類：「葛洪馬陰二君內傳一卷。」
△清秦榮光補晉書藝文志卷三、子部、道家類：「馬陰二君內傳一卷，葛洪撰，據宋史藝文志。」

案：此書新舊唐志均題「趙昇」等撰，太平御覽道部卷六百六十六嘗引陰君自序，原書未見。葛洪神仙傳採錄，而抱朴子書中亦常言及此二仙人，由此可知：此書或爲節錄趙昇原著以成者。

二十一、涉史隨筆一卷

△清丁國鈞補晉書藝文志附錄一卷、存疑類、史部：「涉史隨筆一卷，葛洪。謹按：見述古堂書目。」

△清秦榮光補晉書藝文志卷二、史部、史鈔類：「涉史隨筆一卷，葛洪撰，據述古堂書目。」

案：此書僅見於清錢曾述古堂書目卷一「史」部，不見正史著錄。惟四庫全書總目提要卷八十八、史部四十四、史評類，謂是編乃宋葛洪解官憂居時獻於時相之作，所論皆古大臣之事。洪字容甫，自號蟠室老人。宋史卷四百一十六、列傳第一百七十四有傳。是則此書自非抱朴子之作明矣！

二十二、老子道德經序訣二卷

△隋書卷三十四、經籍志三、「子」部、「道」家：「老子義綱一卷，顧歡撰」下注云：「老子序決一卷，葛仙公撰。」

△舊唐書卷四十七、經籍志下、丙部子錄、道家類：「老子道德經序訣二卷，葛洪撰。」

△新唐書卷五十九、藝文志三、丙部子錄、道家類：「葛洪老子道德經序訣二卷。」

△清丁國鈞補晉書藝文志卷三、丙部子錄、道家類：「老子道德經序訣二卷，葛洪。謹按：見兩唐志。」

△清丁辰補晉書藝文志刋誤丙部：「葛洪老子道德經序訣二卷，疑即七錄之葛仙翁老子敍次一種。唐志譌葛洪，又譌『次』爲『訣』，故仙翁老子敍次，唐志反不載也，當入附錄。」

△清文廷式補晉書藝文志卷四、子部、道家類：「葛洪老子道德經序訣二卷，見新唐志。」

△清秦榮光補晉書藝文志卷三、子部、道家類：「老子序次一卷，葛仙公撰，據玉海引國史志。」

△清秦榮光補晉書藝文志卷三、子部、道家類：「老子道德經序訣二卷，葛洪撰，據唐志。」

△清黃逢元補晉書藝文志卷三、丙部子錄、道家類：「老子道德經序訣二卷，葛洪撰，見唐新舊志。」

△吳士鑑補晉書經籍志卷三、丙部子錄、道家類：「葛洪老子道德經序訣二卷，見兩唐志。隋志云梁有老子序訣一卷，葛仙公撰，亡。」

案：史籍中常將葛仙翁（葛玄）與葛洪誤合爲一，此書亦然。抱朴子內篇卷十五雜應篇：「或曰：老子篇中，記及龜文經，皆言藥（孫星衍校正曰『刻本作大』）兵之後，金木之年，必有大疫，萬人餘一。敢問避辟之道。」依此，老子道德經序訣或亦修煉仙道之書，有異於先秦老子。

二十三、老子道德經節解二卷

△吳士鑑補晉書經籍志卷三、丙部子錄、道家類：「葛洪老子道德經節解二卷，見宋志。」

案：宋史卷二百五、藝文志四、子類、道家類：「葛玄老子道德經節解二卷。」撰者乃「葛玄」而非「葛洪」，未知是否「誤合爲一」所致，故吳氏乃將其據改爲「葛洪」。若吳氏此說不誤，則又未知是否爲「老子道德經序訣」乙書之異稱。

二十四、老子戒經一卷

△清秦榮光補晉書藝文志卷三、子部、道家類：「老子戒經一卷，葛洪撰，據通志略。」

△吳士鑑補晉書經籍志卷三、丙部子錄、道家類：「葛洪老子戒經一卷，崇文總目入五行。」

案：宋鄭樵通志藝文志第五、道家：「老子戒經，葛洪撰。」崇文總目未載此書，吳氏一時失檢。

此書久已亡佚，不得其詳。

二十五、莊子十七卷

△清丁國鈞補晉書藝文志卷三、丙部子錄、道家類：「莊子十七卷，葛洪修撰。謹按：見釋法琳辨正論卷九引。是書疑采擇諸家注所成，故曰修撰，然他書絕未引及。」

△清文廷式補晉書藝文志卷四、子部、道家類：「葛洪修撰莊子十七卷，釋藏辨正論云：『劉宋時陸靜修道藏書目莊子十七卷，莊周所出，葛洪修撰。』余按：抱朴子應嘲篇云『常恨莊生言行自伐，桎梏世業，身居漆園而多誕談。好畫鬼魅，憎圖狗馬，狹細忠貞，貶毀仁義』。洪之不滿莊生如此，然則修撰者，乃刪取之類，故僅存十七也。」

△清秦榮光補晉書藝文志卷三、子部、道家類：「莊子十七卷，葛洪撰，據釋法琳辨正論引。」

△吳士鑑補晉書經籍志卷三、丙部子錄、道家類：「葛洪莊子十七卷，見法琳辨正論引此書，云『葛洪修撰』。」

案：今本莊子五十二篇，中多迂誕怪談，藉寓言行之，洪或即以莊子中言及神仙、隱逸之事，抄錄輯爲十七卷，查晉書葛洪傳、抱朴子自敍篇，皆謂葛洪「又抄……百家之言」、「別有目錄」，是知莊子十七卷亦洪所抄錄者也。

二十六、葛仙翁敍一卷

△清秦榮光補晉書藝文志卷三、子部、道家類：「葛洪翁敍一卷，葛洪撰，見東觀餘論，並據崇文目。」

△吳士鑑補晉書經籍志卷三、丙部子錄、道家類：「葛洪葛仙翁敍一卷，崇文總目入五行。」

案：此書崇文總目卷四、道書類二（吳氏云入「五行」類，失檢），謂葛洪撰，實混葛仙翁、葛洪爲一人。蓋葛仙翁乃洪從祖葛玄之尊號，葛洪則絕無作葛仙翁之稱者。秦吳二氏將之列入葛洪著作之林，實亦傅會之見。

二十七、葛仙翁歌訣一卷

△清秦榮光補晉書藝文志卷三、子部、道家類：「葛仙翁（案通志略作公）歌訣一卷，葛洪撰，據崇文目。」

案：此書亦混葛仙翁、葛洪爲一人而誤附爲葛洪之著作者。

二十八、葛仙公杏仁煎方一卷

△宋史卷二百七、藝文志六、子類、醫書類：「葛仙公杏仁煎方一卷。」

△清文廷式補晉書藝文志卷四、子部、醫家類：「葛仙翁杏仁煎方一卷，崇文總目『葛洪撰』，宋志『仙翁』作『仙公』，按東觀餘論以『葛仙公』爲『葛玄』，此亦當是，今姑錄之。」

△清丁國鈞補晉書藝文志附錄一卷、存疑類、子部：「葛仙翁杏仁煎方一卷，葛洪。謹按：見崇文總目。」

△清秦榮光補晉書藝文志卷三、子部、醫家類：「葛仙翁（案宋藝文作『公』）杏仁煎方一卷，葛洪撰。據崇文目。」

△清黃逢元補晉書藝文志卷三、丙部子錄、醫方類：「葛仙翁杏仁煎方一卷，葛洪撰，見崇目。」

△吳士鑑補晉書經籍志卷三、丙部子錄、醫方類：「葛洪葛仙公煎杏仁方一卷，見宋志。崇文總目作『仙翁』。」

案：宋王堯臣崇文總目卷三十八、子部、醫事類五：「葛仙翁杏仁煎方一卷，葛洪撰。」如此已將書名「仙公」易作「仙翁」，滋生葛玄、葛洪混淆之嫌，故疑此書當亦非洪之著述。

二十九、太一眞君固命歌一卷

△宋史卷二百五、藝文志四、子類、道家神仙類：「太一眞君固命歌一卷，晉葛洪譯。」

△清丁國鈞補晉書藝文志卷四、丁部集錄、道家類：「太乙眞君固命歌一卷，葛洪譯。謹按：見宋史藝文志。」

△清秦榮光補晉書藝文志卷三、子部、道家類：「太乙眞君固命歌一卷，葛洪譯，據宋藝文志。案中興目云：眞人勒于羅浮山朱明洞陰谷壁，古篆文字，葛洪譯，鮑靚行於世，言房中術。」

△吳士鑑補晉書經籍志卷三、丙部子錄、道家類：「葛洪譯太乙眞君固命歌一卷，見宋志。」

案：近人陳竺同於漢魏南北朝外來的醫術與藥物的考證乙文，謂葛洪曾譯「羅浮方篆固命歌」（見暨南學報第一卷第一號），或指此書；惟原著已不可考，疑其書旨亦房內秘術之類，乃道家特有胎息之術。

三十、五岳眞形圖文一卷

△清丁國鈞補晉書藝文志附錄一卷、存疑類、子部：「五岳眞形圖文一卷，葛洪。謹按：見崇文總目。」

△清秦榮光補晉書藝文志卷三、子部、道家類：「五嶽眞形圖文一卷，葛洪撰，據崇文目。」

△吳士鑑補晉書經籍志卷三、丙部子錄、五行類：「葛洪五岳眞形圖文一卷，見崇文總目。」

案：宋王堯臣崇文總目卷五十二、子部、道書類八：「五岳眞形圖文一卷，葛洪撰。」爲是書之首次著錄。宋史卷二百五、藝文志四、子類、道家神仙類下，著錄「五嶽眞形圖」及「五嶽眞形論」各一卷，惟不著撰人姓氏，固不得斷爲葛氏之作。抱朴子內篇卷十九遐覽篇則謂此書乃道家秘笈（註一），非洪著明矣！日人下見隆雄錄爲葛洪著作之一，未知何故？

註一：抱朴子內篇卷十九遐覽篇：「抱朴子曰：『余聞鄭君言，道書之重者，莫過於三皇文、五岳眞形圖也……受之，四十年一傳。』……又家有五嶽眞形圖，能辟兵凶逆，人欲害之者，皆還反受其殃。」

三十一、五金龍虎歌一卷

△清文廷式補晉書藝文志卷四、子部、神仙家類：「葛洪五金龍虎歌一卷、五岳眞形圖文一卷，並見崇文總目。」

△清丁國鈞補晉書藝文志附錄一卷、存疑類、子部：「五金龍虎歌一卷，葛洪。謹按：見崇文總目。」

△清秦榮光補晉書藝文志卷三、子部、道家類：「五金龍虎歌一卷，葛洪撰，據崇文目。」

△吳士鑑補晉書經籍志卷三、丙部子錄、道家類：「葛洪五金龍虎歌一卷，崇文總目入五行。」

△吳士鑑補晉書經籍志卷三、丙部子錄、五行類：「葛洪五經龍虎歌一卷，見崇文總目。」

案：是書首見於崇文總目卷四十九、子部、道書類五，惟不著撰人姓氏，文廷式諸人皆引之，亦不知該書內容。

三十二、隱論雜訣一卷

△宋史卷二百五、藝文志四、子類、道家神仙類：「葛洪隱論雜訣一卷。」

△清秦榮光補晉書藝文志卷三、子部、道家類：「隱論雜訣一卷，葛洪撰，據宋史藝文志。」

案：是書僅見著錄於宋志。書中大旨已不可知，或爲葛洪雜文之一。

三十三、抱朴子神仙金汋經三卷

△清丁國鈞補晉書藝文志卷四、丁部集錄、道家類：「神仙金汋經三卷，葛洪。謹按：見道藏目錄。」

△清文廷式補晉書藝文志卷四、子部、神仙家類：「抱朴子神仙金汋經三卷，嚴可均漫稿曰：其上下二卷卽金丹篇也。」

△清秦榮光補晉書藝文志卷三、子部、道家類：「神仙金汋經三卷，葛洪撰，據宋道藏目。」

△清黃逢元補晉書藝文志卷三、丙部子錄、道家類：「抱朴子金汋經一卷，見絳雲樓書目道藏類，今存平津館叢書，嚴可均鐵橋漫稿云『其上下二卷卽金丹篇。』」

案：此書名稱與卷數，諸家著錄互異，今依正統道藏洞仙部、衆術類、「斯」字帙。嚴可均鐵橋漫稿卷六云：「其中下二卷卽金丹篇也。」今以之與抱朴子內篇卷四金丹篇參較，其下兩篇幾乎雷同，當係後人截取原文雜湊演繹而成。

三十四、金木萬靈訣 一卷

△宋史卷二百五、藝文志四、子類、道家神仙類：「葛洪金木萬靈訣一卷。」

△清丁國鈞補晉書藝文志卷四、丁部集錄、道家類：「金木萬靈論一篇，葛洪。謹按：見道藏目錄。此乃刪改抱朴子內篇中金丹篇爲之，當出道流所演。」

△清文廷式補晉書藝文志卷四、子部、神仙家類：「葛洪金木萬靈訣一卷，見通志。道藏松字號有此書。」

△清秦榮光補晉書藝文志卷三、子部、道家類：「金木萬靈訣一卷（案宋道藏目作「論一篇」），葛洪撰，據宋史藝文志。」

△吳士鑑補晉書經籍志卷三、丙部子錄、道家類：「葛洪金木萬靈訣一卷，見通志略。」

案：此書今存於正統道藏洞神部衆術類「松」字帙內，惟「訣」字作「論」。內容與抱朴子神仙金汋經略同，蓋亦取自抱朴子內篇卷四金丹篇前段，當係道流擷取成篇者。

三十五、運元眞氣圖 一卷

△清秦榮光補晉書藝文志卷三、子部、道家類：「運元眞氣圖一卷，葛仙公撰（案「公」通志作「翁」），據通志略。」

△吳士鑑補晉書經籍志卷三、丙部子錄、道家類：「葛洪運元眞氣圖一卷，崇文總目入五行。」

案：此書崇文總目未錄，吳氏失檢。首見於宋鄭樵通志、藝文略第五、道家三、吐納，惟撰人姓氏題作「葛仙翁」，不作「葛洪」，故書非葛洪所撰明矣！

三十六、爐鼎要妙圖經一卷

△吳士鑑補晉書經籍志卷三、丙部子錄、道家類：「葛洪爐鼎要妙圖經一卷，見通志略。」

案：此書僅著錄於宋鄭樵通志、藝文略第五、道家四、外丹，惟不著撰者姓氏，吳士鑑氏採而易爲「葛洪」所作。其餘正史諸書皆未著目，自不知書中篇旨如何。

三十七、胎息術一卷

△清文廷式補晉書藝文志卷四、子部、神仙家類：「葛洪胎息術一卷，郡齋讀書後志（案卽卷二）云『葛仙翁胎息術一卷，右仙翁，葛洪也』。案葛仙翁卽三國時之葛仙公，非稚川也。晁氏蓋誤後漢書方術王眞傳（案卽卷八十二下）『能行胎息胎食之方』，注『漢武內傳曰：習閉气而呑之，名曰胎息。』抱朴子釋滯篇曰『胎息者，能不以鼻口噓吸，如在胞胎之中』。」

△清秦榮光補晉書藝文志卷三、子部、道家類：「葛仙翁胎息術一卷，葛洪撰，據通考。」

△清秦榮光補晉書藝文志卷三、子部、道家類：「葛仙翁抱息術一卷，據晁氏讀書志曰『仙翁，葛洪也』。案列仙傳曰：葛玄，字孝先，吳人，從左慈學道，後得道，號葛仙翁。本書葛洪傳稱玄『仙公』。」

△吳士鑑補晉書經籍志卷三、丙部子錄、道家類：「葛洪葛仙翁胎息術一卷，見郡齋讀書志。通志略（案卽藝文志第五、道家三、「胎息」類）作『胎息要訣』。」

案：葛仙翁乃葛洪之從祖葛玄，晁氏蓋誤仙公、葛洪爲一人；惟由抱朴子內篇卷八釋滯篇，可知「胎息術」亦修道之一法。

三十八、太清玉碑子一卷

△宋史卷二百五、藝文志四、子類、道家神仙類：「葛洪太清玉碑子一卷（葛洪與鄭惠遠問答）。」

△清丁國鈞補晉書藝文志卷四、丁部集錄、道家類：「太清玉碑子卷，葛洪與鄭惠遠答問。謹按：見宋志。」

△清文廷式補晉書藝文志卷四、子部、神仙家類：「太清玉碑十一卷（葛洪與鄭惠遠問答），見宋志。」

△清文廷式補晉書藝文志卷五、子部、神仙家補：「太清玉碑子一卷（葛洪與鄭惠遠問答），見宋史藝文志。」

△清秦榮光補晉書藝文志卷三、子部、道家類：「太清玉碑子一卷（案洪與鄭惠遠問答），葛洪撰，據宋史藝文志。」

△吳士鑑補晉書經籍志卷三、丙部子錄、道家類：「葛洪太清玉碑子一卷（葛洪與鄭惠遠問答），見宋志。」

案：括號內之鄭惠遠，當爲「鄭思遠」之誤；思遠，葛洪師也。鄭思遠於霍山修隱，嘗見石壁三皇古文，此書問答內容，亦是三皇文篇義也。其書收入正統道藏洞神部衆術類「如」字帙內。

三十九、大丹問答一篇

△清丁國鈞補晉書藝文志卷四、丁部集錄、道家類：「大丹問答一篇，葛洪。謹按：見道藏目錄，原注云『石壁古文』。」

△清秦榮光補晉書藝文志卷三、子部、道家類：「大丹問答一篇，葛洪撰，據宋道藏目。」

案：此文今存正統道藏洞眞部、衆術類、「松」字帙內。內容近似太清玉碑子，僅歌訣部份有異，疑係由太清玉碑子改作。

四十、抱朴子養生論一卷

△宋史卷二百五、藝文志四、子類、道家神仙類：「葛洪抱朴子養生論一卷。」

△清丁國鈞補晉書藝文志附錄一卷、存疑類、子部：「養生論一卷，葛洪。謹按：見宋志，今道藏尚載其文，蓋道流割裂抱朴子中地眞極言二篇文所僞。」

△清文廷式補晉書藝文志卷五、子部、神仙家補：「抱朴子養生論一卷，見宋史藝文志。」

△清文廷式補晉書藝文志卷四、子部、神仙家類：「抱朴子養生論一卷，見宋志。道藏臨字號有此書。嚴可均鐵橋漫稿曰：前半卽地眞篇也，後半與極言篇相輔。」

△清秦榮光補晉書藝文志卷三、子部、道家類：「抱朴子養生論一卷，葛洪撰。據宋史藝文志。」

△清秦榮光補晉書藝文志卷三、子部、醫家類：「養生論一卷，葛洪撰，據宋藝文志。」

△清黃逢元補晉書藝文志卷三、丙部子錄、醫方類：「養生論一卷，葛洪撰，見宋志，題作『抱朴子養生論』，今存平津館叢書。」

△吳士鑑補晉書經籍志卷三、丙部子錄、道家類：「葛洪抱朴子養生論一卷，見宋志。」

案：此文今存於正統道藏洞神部、方法類「臨」字帙內；平津館叢書本暨世界書局排印本之「抱朴子」亦殿附於後。全文約六百餘字，前半幾與抱朴子內篇卷十八地眞篇後段相同，後半則與內篇卷十三極言篇相符，故此文蓋亦後世道流割裂謅錄。

四十一、元始上眞衆仙記一卷

△宋史卷二百五、藝文志四、子類、道家神仙類：「葛洪上眞衆仙記一卷。」

△清丁國鈞補晉書藝文志卷四、丁部集錄、道家類：「元始上眞衆仙紀一卷，葛洪。謹按：見宋靈佑宮道藏目錄。」

△清秦榮光補晉書藝文志卷三、子部、道家類：「上眞衆仙記一卷（案宋道藏目作「元始上眞衆仙記」），葛洪撰，據宋史藝文志。」

△吳士鑑補晉書經籍志卷三、丙部子錄、道家類：「葛洪元始上眞衆仙記一卷，見宋志。」

案：斯書今存正統道藏洞眞部、譜籙類、「騰」字帙內。宋鄭樵通志、藝文志第五、道家二、作「元始上眞記一卷」，或爲此書別名。書中所言，多謬悠誕妄，不足深詰。文中言及「許穆在華陽洞天立宅爲眞人，許玉斧在童初之北位爲眞人，未有掌領」。據正統道藏「太玄部」、「定」

字帙、眞誥卷二十眞胄世譜所載：許謐，字思玄，一名穆，永興二年至太元元年（西元三〇五至三七六年）在世，謐子翽，字道翔，小名玉斧，泰和三年（西元三六八年）去世，父子二人均後於葛洪，由此可證書非葛洪所作。

四十二、枕中書一卷

△清丁國鈞補晉書藝文志附錄一卷、存疑類、子部：「枕中書，葛洪。謹按：見文獻通考，亦僞書也。抱朴子遐覽篇有『惟余見授五行記』語，此書名當卽緣此影撰。」

△清文廷式補晉書藝文志卷五、子部、神仙家補：「葛洪枕中書一卷，四庫全書提要云：考隋唐宋志，但有墨子枕中記，無洪枕中書，此本別載說郛中，一名元始上眞衆仙記，而通志所列元始上眞記，無「衆仙」字，似亦非此書，說多謬悠，後人僞撰也。」

△清秦榮光補晉書藝文志卷三、子部、醫家類：「枕中書，葛洪撰，據通考。」

△清秦榮光補晉書藝文志卷三、子部、道家類：「枕中書一卷，葛洪撰。據四庫提要云：宋藝文有墨子枕中記及枕中素書，而無葛洪枕中書，此本載說郛中，一名元始上眞衆仙記，而通志所列元始上眞記，無『衆仙』字，似亦非此書。」

△清黃逢元補晉書藝文志卷三、丙部子錄、道家類：「枕中書一卷，葛洪撰，見說郛，今存。四庫提要云『說多謬悠，後人僞託也』。」

△吳士鑑補晉書經籍志卷三、丙部子錄、道家類：「葛洪枕中書一卷，見通志略。」

△吳士鑑補晉書經籍志卷三、丙部子錄、道家類：「葛洪枕中記一卷，見宋志。」

案：正統道藏洞眞部譜籙類「騰」字帙內之元始上眞衆仙記，第二行題有「葛洪枕中書」五字；考之隋、唐、宋諸史之經籍藝文志，但有墨子枕中記及枕中素書，而無葛洪枕中書。此本別載說郛中（宛委山堂本、弓七），又名元始上眞衆仙記。枕中書早在葛洪之前卽有，乃道家修煉黃白之秘笈也。是以枕中書，自非葛洪所著。

四十三、玉策記

△清文廷式補晉書藝文志卷四、子部、神仙家類：「抱朴子玉策記，初學記二十九引之，太平御覽卷八、卷九百六、九百八、九百九。」

△抱朴子內篇卷三對俗篇：「玉策記曰：『千歲之龜，五色具焉。』」

△抱朴子內篇卷十一仙藥篇：「玉策記及開明經，皆以五音六屬，知人年命之所在。」

案：太平御覽卷八、九百六、九百八、九百九，皆言及玉策記，或云「抱朴子玉策記曰」、或云「抱朴子玉策篇曰」、或云「抱朴子曰玉策記稱」、或云「抱朴子曰玉策記曰」，體例甚雜；又水經注卷二十四「汶水」條下亦云「抱朴子稱玉策記曰」；再參以上引抱朴子內篇二文，可證玉策記早成於葛洪之前，斷非洪著。記中所言，疑亦神仙、方術之說。

四十四、稚川眞人校證術一卷

△清文廷式補晉書藝文志卷四、子部、神仙家類：「稚川眞人校證術一卷，道藏『似』字號有此書。」

案：是書存正統道藏、洞神部、衆術類、「似」字帙內，惟未著撰者。明白雲霽道藏目錄詳註卷三云：「先天圖、先天論、淵源火候訣皆言外丹。」可知其爲道家修煉之術者。又書中載戴道亨求道時，其師戒之曰：「昔葛仙翁傳鄭思遠，傳葛稚川；稚川乃仙翁裔也。……」故知：此書非葛洪所作，故嚴可均鐵橋漫稿卷六謂係「後人所演」之書。

四十五、遁甲要諸書

△隋書卷三十四、經籍志三、「子」部、「五行」家：「遁甲肘後立成囊中秘一卷，葛洪撰。」

又：「遁甲返覆圖一卷，葛洪撰。」

又：「遁甲要用四卷，葛洪撰。」

又：「遁甲秘要一卷，葛洪撰。」

又：「遁甲要一卷，葛洪撰。」

△舊唐書卷四十七、經籍志下、丙部子錄、五行類：「三元遁甲圖三卷，葛洪撰。」

△新唐書卷五十九、藝文志三、丙部子錄、五行類：「葛洪三元遁甲圖三卷。」

△清丁國鈞補晉書藝文志卷三、丙部子錄、五行類：「遯甲肘後立成囊中秘一卷，葛洪。謹按：見隋志。抱朴子登涉篇『余少有入山之志，由此乃行學遁甲書，乃有六十餘卷事不可卒精，故抄集其要爲囊中立』云云，卽此書並以下各種。」

又：「遁甲返覆圖一卷，葛洪。謹按：見隋志。」

又：「遯甲要用四卷，葛洪。謹按：見隋志。」

又：「遯甲秘要一卷，葛洪。謹按：見隋志。」

又：「三元遁甲圖三卷，葛洪。謹按：見兩唐志。」

又：「遯甲要一卷，葛洪。謹按：見隋志。」

△清文廷式補晉書藝文志卷四、子部、五行家類：「葛洪遯甲反覆圖一卷、遯甲肘後立成囊中秘訣一卷、遯甲要用四卷、遯甲秘要一卷、遯甲要一卷、三元遯甲圖三卷（末一種見舊唐志）。抱朴子登涉篇云『遁甲書乃有六十餘卷，事不可卒精，故鈔集其要，以爲囊中立成』。」

△清秦榮光補晉書藝文志卷三、子部、術數類：「遯甲肘後立成囊中秘（案通志略有「訣」字）一卷、遯甲返（案通志略作「反」）覆圖一卷、遯甲要用四卷、遯甲秘要一卷、遯甲要一卷、三元遁甲圖（據唐志）三卷，上並葛洪撰。」

△清黃逢元補晉書藝文志卷三、丙部子錄、五行類：「遯甲要用四卷，葛洪撰，見隋志。遯甲秘要一卷，葛洪撰，本隋志；新唐志卷同，無撰人。遯甲要一卷，葛洪撰，見隋志。遯甲肘後立成囊中秘一卷，葛洪撰，見隋志；元案：抱朴子登涉篇云『余少有入山之志，由此乃行學遁甲書，乃有六十餘卷，事不可卒精，故鈔集其要，以爲囊中立成』，云卽是書。三元遁甲圖三卷，葛洪撰，本唐新舊志；隋志卷同，脫撰人。遯甲反覆圖一卷，葛洪撰，見隋志。」

△吳士鑑補晉書經籍志卷三、丙部子錄、五行類：「葛洪三元遯甲圖三卷（見隋唐志，隋志不著撰人）

遯甲肘後立成囊中秘一卷、遯甲反覆圖一卷、遯甲要用四卷、遯甲秘要一卷、遯甲要一卷（均見隋志）。」

案：抱朴子外篇卷五十自敘篇云：「晚學風角、望氣、三元遁甲、六壬、太一之法，粗知其旨。」抱朴子內篇卷十七登涉篇：「按玉鈐經云：欲入名山，不可不知遁甲之秘術，……余少有入山之志，由此乃行學遁甲書，乃有六十餘卷。事不可卒精，故鈔集其要，以爲囊中立成。」清朱錫鬯輯釋崇文總目卷四「三元遁甲」一書下，注云：「許昉、劉毗、杜仲並有三元遁甲六卷。舊唐志、唐志並有葛洪三元遁甲圖三卷，宋志有三元遁甲經一卷。此書未知孰是？」由上引文，知遁甲之術，乃煉丹、求仙、入隱名山不可不學之術，而洪亦嘗行學之，且鈔集其要成囊中立成；後世推衍譌傳，因成六種之多，實非葛洪所撰也。

四十六、龜決二卷

△隋書卷三十四、經籍志三、「子」部、「五行」家：「龜經一卷，晉掌卜大夫史蘇撰」下注云：「龜決二卷，葛洪撰。」

△清丁國鈞補晉書藝文志卷三、丙部子錄、五行類：「龜決二卷，葛洪。謹按：見七錄。」

△清文廷式補晉書藝文志卷四、子部、五行家類：「葛洪龜決二卷。」

△清秦榮光補晉書藝文志卷三、子部、術數類：「龜決二卷，葛洪撰。」

△清黃逢元補晉書藝文志卷三、丙部子錄、五行類：「龜訣二卷，葛洪撰，見七錄。」

△吳士鑑補晉書經籍志卷三、丙部子錄、五行類：「葛洪龜訣二卷，見隋志。」

案：抱朴子內篇卷十五雜應篇曰：「老子篇中，記及龜文經，皆言大兵之後，金木之年，必有大疫萬人餘一。」又，內篇卷三對俗篇云：「史記龜筴傳云：『江淮間居人爲兒時，以龜枝牀，至後老死，家人移牀而龜故生。』此亦不減五六十歲也。不飲不食，如此之久而不死，其與凡物不同亦遠矣，亦復何疑於千歲哉？」由上引二文，可知龜決書蓋亦論養生術之書者。

四十七、周易雜占十卷

△隋書卷三十四、經籍志三、「子」部、「五行」家：「周易新林四卷，郭璞撰」下注云：「梁有周易雜占十卷，葛洪撰，亡。」

△清丁國鈞補晉書藝文志卷三、丙部子錄、五行類：「周易雜占十卷，葛洪。謹按：見七錄。」

△清文廷式補晉書藝文志卷四、子部、五行家類：「葛洪周易雜占十卷。」

△清秦榮光補晉書藝文志卷三、子部、術數類：「周易雜占十卷，葛洪撰。」

△清黃逢元補晉書藝文志卷三、丙部子錄、五行類：「周易雜占十卷，葛洪撰，見七錄。」

△吳士鑑補晉書經籍志卷三、丙部子錄、五行類：「葛洪周易雜占十卷，隋志云『梁有，亡』。」

案：晉書卷七十二葛洪傳、抱朴子外篇卷五十自敘篇皆云葛洪「抄五經」；此周易雜占，蓋亦抄撰之類，惟隋後正史均未見著錄。

四十八、天論一篇

△清文廷式補晉書藝文志卷四、子部、天文家類：「葛洪渾天論。」

△清文廷式補晉書藝文志卷三、史部、地志類：「葛洪潮說，姚寬西溪叢話云：舊於會稽得一石碑，論海潮，不知誰氏。云觀古今諸家海潮之說者多矣，或謂天河激湧。注云『葛洪潮說』。據此，則洪以潮爲天河所激，與盧肇諸家之說不同，於理未當。今姑錄其目。」

△清秦榮光補晉書藝文志卷三、子部、天文算法類、推步之屬：「渾天釋，葛洪撰，據本書天文志。」

案：葛洪有關「論天」之文，詳載隋書卷十九天文志上，初學記卷一，太平御覽卷四、卷二十三、卷五十八（引二條）、卷六十八、卷八百六十九（引二條），惟缺標題，今依高明師主編之兩晉南北朝文彙頁六十六而定爲「葛洪天論一篇」。日人下見隆雄葛洪著作書名考，引清秦榮光及文廷式所撰之補晉書藝文志，謂葛洪著有渾天釋、渾天論二書，實則皆非葛洪「天論」之異名，而係葛洪引述前人著作，用以闡釋其「天論」者也，今廣州局刻本全晉文收其全文，首段即引「渾天儀注云」，可證下見氏之誤。又：下見氏又引文廷式之說，謂葛洪撰有潮說一書，今觀天論篇末段：「虞氏云：『潮者據潮來也，汐者言夕至也。』」或即此書所因，實亦本篇演繹成書者。

四十九、兵法孤虛月時秘要法一卷

△新唐書卷五十九、藝文志三、丙部子錄、兵書類：「葛洪兵法孤虛月時秘要法一卷。」

△清文廷式補晉書藝文志卷四、子部、兵家類：「葛洪兵法孤虛月時秘要一卷，見唐志。」

△清丁國鈞補晉書藝文志卷三、丙部子錄、兵家類：「兵法孤虛月時秘要法一卷，葛洪。謹按：見新唐志。」

△清秦榮光補晉書藝文志卷三、子部、兵法類：「兵法孤虛月時秘要法一卷，葛洪撰，據新唐志。」

△清黃逢元補晉書藝文志卷三、丙部子錄、兵書類：「兵法孤虛月時秘要法一卷，葛洪撰，見新唐志。元案：嚴可均全晉文輯存葛洪軍術四十餘事，當卽是書佚文。」

△吳士鑑補晉書經籍志卷三、丙部子錄、兵家類：「葛洪兵法孤虛月時秘要法一卷，見唐志。」

案：嚴可均全晉文卷一百十七抱朴子外篇佚文，輯得葛洪「軍術」者凡四十二條，或爲此書之佚文？抱朴子外篇卷五十自敍篇，謂葛洪「抄……兵事……別有目錄」，又曰「少嘗學射，……又曾受刀楯及單刀、雙戟，皆有口訣要術，以待取人，乃有秘法，其巧入神」，可知洪於兵法確有深究。

五十、陰符十德經一卷

△清文廷式補晉書藝文志卷四、子部、兵家類：「葛洪陰符十德經一卷，見唐志。」

△清秦榮光補晉書藝文志卷三、子部、道家類：「陰符十德經一卷，葛洪撰，據通志略。」

△清黃逢元補晉書藝文志卷三、丙部子錄、兵書類：「陰符十德經一卷，葛洪撰，見新唐志。」

△吳士鑑補晉書經籍志卷三、丙部子錄、道家類：「葛洪陰符十德經十卷，崇文總目入五行。」

案：宋鄭樵通志、藝文略第五、道家一、陰符經類：「陰符十德經一卷，葛洪撰。」此乃是書始見著錄者。新唐志未載，文黃二氏失檢。是書疑亦後人輯錄葛洪「軍術」之論以成書者。

五十一、肘後方六卷

△隋書卷三十四、經籍志三、「子」部、「醫方」家：「肘後方六卷，葛洪撰。梁二卷。陶弘景補闕肘後百一方九卷，亡。」

△舊唐書卷四十七、經籍志下、丙部子錄、醫術類：「肘後救卒方四卷，葛洪撰。」

△新唐書卷五十九、藝文志三、丙部子錄、醫術類：「葛洪肘後救卒方六卷。」

又：「陶弘景補肘後救卒備急方六卷。」

△宋史卷二百七、藝文志六、子類、醫書類：「葛洪肘後備急百一方三卷。」

△清丁國鈞補晉書藝文志卷三、丙部子錄、醫方類：「肘後急要方四卷，葛洪。謹按：見七錄。本書洪傳作『肘後方』，云『二卷』；隋志作『六卷』，兩唐志作『肘後救卒方』、卷同隋志，當卽此書。」

△清丁國鈞補晉書藝文志附錄一卷、存疑類、子部：「肘後備急百一方三卷，葛洪。謹按：見宋志。家大人曰：應卽洪傳所載之肘後要急方及七錄隋志之肘後方、兩唐志之肘後救卒方（據書錄解題，此本肘後救卒方，經陶隱居增補改名）。」

△清文廷式補晉書藝文志卷四、子部、醫家類：「葛洪肘後方六卷，舊唐志作肘後救卒方四卷，本傳作肘後要急方四卷今存，藝文類聚七十五引陶弘景肘後百一方序，類聚八十二引葛洪治金創方。」

△清秦榮光補晉書藝文志卷三、子部、醫家類：「肘後（葛洪撰。案本書傳有『要急』字，舊唐志暨

通志略有『救卒』字，直齋書錄有『百一』字，宋藝文有『備急百一』字）方六（案本書傳暨舊唐志並作『四』，直齋書錄暨宋藝文並作『三』）卷（案直齋書錄云：率多易得之藥，凡八十六首。四庫目錄作肘後備急方八卷，凡分五十三類，但有方而無論）。

△淸黃逢元補晉書藝文志卷三、丙部子錄、醫方類：「肘後急要方四卷，葛洪撰，本七錄；隋志六卷；唐新舊志四卷，作『肘後救卒方』；通考作『肘後百一方』，宋志作『肘後備急方』，均三卷；洪傳作『肘後要急方四卷』，洪自序本云『肘後救卒方三卷』，故新舊唐志因之，今存，作『肘後備急方八卷』。」

△吳士鑑補晉書經籍志卷三、丙部子錄、醫方類：「葛洪肘後方六卷，見隋志，云梁二卷。唐志亦六卷。舊唐志作『肘後救卒方四卷』，本傳作『肘後要急方四卷』，宋志作『肘後備急百一方三卷』。道藏目錄作『肘後備急方八卷』。」

△正統道藏正乙部、「陛」字帙：「葛仙翁肘後備急方八卷。」

△四庫全書總目提要卷一百三、子部十三、醫家類一：「肘後備急方八卷，晉葛洪撰，浙江范懋柱家天一閣藏本。」

△太平御覽卷七百二十二、方術部三、醫二、引晉中興書：「（葛洪）撰經用救驗方三卷，號曰肘後方，……于今行用。」

案：晉書卷七十二葛洪傳，載葛洪曾著「肘後要急方四卷」；今復由上引著錄，得知肘後要急方、肘後方、肘後救卒方、肘後備急百一方、肘後急要方、肘後百一方、治金創方、肘後備急方，或皆同書異名者，僅以增補、時異而書名、卷數有異耳。藝文類聚卷七十五引梁陶弘景肘後百一方序云「抱朴此製，實爲深益，然尚有闕漏，未盡其善，輒採集補闕，凡一百一首」，蓋洪既「綜練醫術，凡所著撰，皆精覈是非」（見晉書本傳），故作此經用救驗藥方，並徧求藥材，畢治百病。其後陶弘景爲之增補，得一百一首，爲肘後百一方；金楊用道亦取作廣肘後方，益世良多。今本肘後備急方僅存七十首，醫方類聚所引，多於今本者十四首，合之凡得八十四首，較之百一方尚闕十七首。此書既已屢經後人竄亂增益，又復殘闕不完，至足惜也。日人下見隆雄撰有肘後備急方考（見日本福岡女子短大紀要第七號內），論之甚詳，茲不贅述。

五十二、玉函煎方五卷

△隋書卷三十四、經籍志三、「子」部、「醫方」家：「玉函煎方五卷，葛洪撰。」

△宋史卷二百七、藝文志六、子類、醫書類：「玉函方三卷。」（不著撰人）

△清丁國鈞補晉書藝文志卷三、丙部子錄、醫方類：「玉函煎方五卷，葛洪。謹按：見隋志。」

△清文廷式補晉書藝文志卷四、子部、醫家類：「葛洪玉函煎方五卷、金匱藥方一百卷，晉中興書曰：洪撰經用救驗方三卷，號曰肘後方；又撰玉函方一百卷，於今行用——御覽七百二十二。」

△清黃逢元補晉書藝文志卷三、丙部子錄、醫方類：「玉函煎方五卷，葛洪撰，見隋志。」

△吳士鑑補晉書經籍志卷三、丙部子錄、醫方類：「葛洪玉函煎方五卷，見隋志。」

案：晉書卷七十二葛洪傳，謂洪曾著「金匱藥方一百卷、肘後要急方四卷」；抱朴子內篇卷十五雜應篇，則言「余所撰百卷，名曰玉函方，皆分別病名，以類相續，不相雜錯」；太平御覽卷七百二十二、方術部三、醫二、引晉中興書，云葛洪「又撰玉函方一百卷，于今行用」；是知金匱藥方、玉函方、玉函煎方，一也。玉函煎方，宋志以後之正史均無著錄，殆已亡佚。

五十三、金匱藥方一百卷

△清丁國鈞補晉書藝文志卷三、丙部子錄、醫方類：「金匱藥方一百卷，葛洪。謹按：見本書洪傳。抱朴子雜應篇『余所撰百卷，名曰玉函方，皆分別病名以類，相續不相雜錯，其九十三卷皆單行，然則此百卷本名玉函方，其餘各種，著錄於七錄諸志者，皆百卷中之單行者也。」

△清秦榮光補晉書藝文志卷三、子部、醫家類：「金匱藥方一百卷，葛洪撰，據本書傳。案御覽方術部引晉中興書曰『洪撰玉函方一百卷』，當卽此書。」

△清黃逢元補晉書藝文志卷三、丙部子錄、醫方類：「金匱藥方一百卷，葛洪撰，見洪傳。元案：抱朴子雜應篇云『余所撰百卷，名曰玉函方，皆分別病名，以類相續，不相雜錯，其玖拾叄卷，皆單行徑易』，卽是書。」

△吳士鑑補晉書經籍志卷三、丙部子錄、醫方類：「葛洪金匱藥方一百卷，見本傳。」

案：金匱藥方實卽玉函煎方之別名，詳見玉函煎方。

五十四、還丹肘後訣三卷

△正統道藏洞神部、衆術部、「斯」字帙：「還丹肘後訣三卷。」

案：本書前言：「肘後訣者，稚川葛眞人所撰，十卷，其九則論天下方書、草藥救治之門，其一則辨金石大丹黃芽之眞。」而書中屢引「陶眞人云」。按陶弘景，於劉宋文帝元嘉二十九年（西元四五二年）至梁武帝大同二年（西元五三六年）在世，去葛洪之卒已百餘年，實難附會葛洪所作。惟書名既近肘後方，書中又多引陶弘景語，疑係據肘後方增刪而成者。

五十五、神仙服食藥方十卷

△隋書卷三十四、經籍志三、「子」部、「醫方」家：「神仙服食藥方十卷，抱朴子撰。」

△舊唐書卷四十七、經籍志下、丙部子錄、醫術類：「太清神仙服食經一卷，抱朴子撰。」

△新唐書卷五十九、藝文志三、丙部子錄、醫術類：「抱朴子太清神仙服食經五卷。」

△清丁國鈞補晉書藝文志卷三、丙部子錄、醫方類：「神仙服食藥方十卷，葛洪。謹按：見隋志，舊題『抱朴子撰』。」

△清丁國鈞補晉書藝文志卷三、丙部子錄、醫方類：「太清神仙服食經一卷，葛洪。謹按：見新唐志，舊題『抱朴子』。舊志脫撰人名。」

△清丁國鈞補晉書藝文志卷三、丙部子錄、醫方類：「服食方四卷，葛洪。謹按：沙門法琳辨正論卷九引。」

△清文廷式補晉書藝文志卷四、子部、神仙家類：「抱朴子神仙服食藥方十卷，新唐志『抱朴子太清

神仙服食經五卷』。」

△清秦榮光補晉書藝文志卷三、子部、醫家類：「神仙服食藥方十卷，葛洪撰。案舊唐志作『太清神仙服食藥方五卷，又一卷』；新唐志同而無又一卷。」

△清秦榮光補晉書藝文志卷三、子部、醫家類：「太清神仙服食經一卷，葛洪撰，據新唐志。」

△清秦榮光補晉書藝文志卷三、子部、醫家類：「服食方四卷，葛洪撰，據沙門法琳辨正論引。」

△清黃逢元補晉書藝文志卷三、丙部子錄、醫方類：「神仙服食藥方十卷，葛洪撰，本隋志，注云『抱朴子撰』，唐新舊志脫撰人。」

△清黃逢元補晉書藝文志卷三、丙部子錄、醫方類：「太清神仙服食經一卷，葛洪撰，見唐新舊志，撰人均題『抱朴子』，新志作『五卷』。御覽三百六十八引存作『神仙服食經』。」

△吳士鑑補晉書經籍志卷三、丙部子錄、醫方類：「葛洪神仙服食藥方十卷，見隋志。沙門法琳辨正論引『服食方四卷』。」

△吳士鑑補晉書經籍志卷三、丙部子錄、醫方類：「葛洪抱朴子太清神仙服食經五卷，見唐志。」

案：由上引著錄，可知神仙服食藥方、太清神仙服食經、服食方、神仙服食經，或皆同書異名者。

未知是否即道家導引養生所服辟穀之藥方？書久亡佚，不知書中大概。

五十六、黑髮酒方一卷

△清丁國鈞補晉書藝文志附錄一卷、存疑類、子部：「黑髮酒方一卷，葛洪。謹按：見崇文總目。家

大人曰：此方及下一方（指「葛仙翁杏仁煎方」），當在洪神仙服食諸方書中，非佚脫，即後人傳錄別行者。」

△清文廷式補晉書藝文志卷四、子部、醫家類：「葛洪黑髮酒方一卷，見崇文總目。」

△清秦榮光補晉書藝文志卷三、子部、醫家類：「黑髮酒方一卷，葛洪撰，據崇文目。」

△清黃逢元補晉書藝文志卷三、丙部子錄、醫方類：「黑髮酒方一卷，葛洪撰，見崇目。」

△吳士鑑補晉書經籍志卷三、丙部子錄、醫方類：「葛洪墨髮酒方一卷，見崇文總目。通志略入道家。」

案：今本葛洪肘後備急方卷六第五十二，存有「膏傅面、染髮等方」，想必此書之來源。

五十七、狐剛子萬金決二卷

△隋書卷三十四、經籍志三、「子」部、「醫方」家：「狐剛子萬金決二卷，葛仙公撰。」

△舊唐書卷四十七、經籍志下、丙部子錄、醫術類：「狐子方金訣二卷，葛仙公撰。」

△新唐書卷五十九、藝文志三、丙部子錄、醫術類：「葛仙公錄狐子方金訣二卷。」

△吳士鑑補晉書經籍志卷三、丙部子錄、醫方類：「葛洪狐剛子萬金訣二卷，舊唐志作『狐子方金訣二卷』，唐志作『葛仙公錄狐子方金訣三卷』，『方』乃『萬』字之訛，今從隋志。」

案：此亦葛洪從祖葛玄所著醫書。

五十八、序房內秘術一卷

△隋書卷三十四、經籍志三、「子」部、「醫方」家：「序房內秘術一卷，葛氏撰。」

△舊唐書卷四十七、經籍志下、丙部子錄、醫術類：「玉房秘術一卷，葛氏撰。」

△新唐書卷五十九、藝文志三、丙部子錄、醫術類：「葛氏房中秘術一卷。」

△清丁國鈞補晉書藝文志卷三、丙部子錄、醫方類：「序房內秘術一卷，葛洪。謹按：見隋志，舊題『葛氏撰』，亦稚川之書。」

△清文廷式補晉書藝文志卷四、子部、神仙家類：「葛氏房中秘術一卷，見新唐志。隋志作『序房內秘術』，隋諱中字也。抱朴子釋滯篇『玄素子都容成公彭祖之屬，蓋載其麄事，終不以至要者，著於紙上者也。……余承師鄭君之言，故記以示將來之信道者，非臆斷之談也，余實復未盡其訣矣』。」

△清秦榮光補晉書藝文志卷三、子部、醫家顧：「序房內秘術一卷，葛洪撰。」

△清秦榮光補晉書藝文志卷三、子部、道家類：「序房內秘術一卷，葛氏撰。案疑亦洪撰，隋志列醫家類，據通志略移。」

△吳士鑑補晉書經籍志卷三、丙部子錄、醫方類：「葛洪序房內秘術一卷，舊唐志作『玉房秘術』，唐志作『葛氏房中秘術』，今從隋志。通志略入道家。」

案：由上引著錄，可知序房內秘術、玉房秘術、葛氏房中秘術，一也。抱朴子內篇卷八釋滯篇云：「房中之法十餘家，……其大要在於還精補腦之一事耳。此法乃眞人口口相傳，本不書也。……著於紙上者也，志求不死者，宜勤行求之。余承師鄭君之言，故記以示將來之信道者，非臆斷之談也；余實復未盡其訣矣。」據此，可知洪實爲記述其師鄭隱所傳之道笈，其來有自，非洪自身經歷卓見也。

五十九、抱朴君書一卷

△隋書卷三十五、經籍志四、「集」部、「總集」類：「雜逸書六卷，梁二十二卷。徐爰撰」下注云：「抱朴君書一卷，葛洪撰。」

△清丁國鈞補晉書藝文志卷四、丁部集錄、總集類：「抱朴君書一卷，葛洪。謹按：見七錄。」

△清文廷式補晉書藝文志卷六、集部、總集類：「葛洪抱朴君書一卷，抱朴子自敘云『軍書、檄移、章表、箋記三十卷』，此一卷殆殘佚之餘也。」

△清秦榮光補晉書藝文志卷三、子部、道家類：「抱朴君書一卷，葛洪撰，案隋志列別集類。」

△清黃逢元補晉書藝文志卷四、丁部集錄、總集類：「抱朴君書一卷，葛洪撰，見七錄。」

△吳士鑑補晉書經籍志卷四、丁部集錄、總集類：「葛洪抱朴子君書一卷，隋志云梁有，亡。」

案：抱朴君書一卷，若依文廷式氏之言，殆即抱朴子一書殘佚之雜文也。

六十、移檄章表三十卷

六十一、碑誄詩賦百卷

△清文廷式補晉書藝文志卷六、集部、別集類：「葛洪碑誄詩賦一百卷、移檄章表三十卷，本傳。」

△清秦榮光補晉書藝文志卷四、集部、別集類：「葛洪集一百三十卷，據本書傳云碑誄詩賦百卷、移檄章表三十卷。」

△清秦榮光補晉書藝文志卷四、集部、總集部：「五經百家方伎雜事三百一十卷、碑誄詩賦一百卷、

移檄章表三十卷，上三種並葛洪撰，據本書傳。」

△清黃逢元補晉書藝文志卷四、丁部集錄、總集類：「移檄章表三十卷，葛洪撰，見洪傳。」

△清黃逢元補晉書藝文志卷四、丁部集錄、總集類：「方伎雜事三百一十卷，葛洪撰，見洪傳。」

△清黃逢元補晉書藝文志卷四、丁部集錄、總集類：「碑誄詩賦百卷，葛洪撰，見洪傳。」

△吳士鑑補晉書經籍志卷四、丁部集錄、總集類：「葛洪碑誄詩賦百卷、移檄章表三十卷，本傳。」

△吳士鑑補晉書經籍志卷三、丙部子錄、雜家類：「葛洪方技雜事三百十卷，本傳。」

案：抱朴子外篇卷五十自敍篇云「凡著內篇二十卷，外篇五十卷，碑頌、詩賦百卷，軍書、檄移、章表、箋記三十卷」；晉書卷七十二葛洪傳亦云「其餘所著碑誄詩賦百卷，移檄章表三十卷」；凡此，或爲案牘勞神之作，或爲抒情酬酢之章；嘔心瀝血，薈萃成篇；時移境遷，亡佚殆盡，豈不悲哉！

引用參考書目

抱朴子　晉葛洪撰，商務印書館四部叢刊景印明魯藩承訓書院刋本。
抱朴子　晉葛洪撰，藝文印書館景印上海涵芬樓重印正統道藏本。
抱朴子　晉葛洪撰，國立故宮博物院所藏明吉藩崇德書院刋本。
抱朴子　晉葛洪撰，國立中央圖書館所藏明萬曆十二年吳興愼懋官刋本。
抱朴子　晉葛洪撰，國立中央圖書館所藏清嘉慶間長白繼昌校刋本。
抱朴子　晉葛洪撰，商務印書館叢書集成初編景印清嘉慶十八年平津館叢書本。
抱朴子　晉葛洪撰，國立故宮博物院所藏日本享保丙午年刋本。
抱朴子　晉葛洪撰，清孫星衍校正，世界書局排印本。
抱朴子校記　民國羅振玉撰，文華出版公司印行羅雪堂先生全集初編內。
抱朴子外篇舉正　民國楊明照撰，古亭書屋景印中國文化研究彙刋㈣册內。
抱朴子外篇簡注　日人御手洗勝撰，昭和四十年至昭和四十五年日本廣島大學文學部中國哲學研究室印行。
葛洪年譜　民國錢穆撰，民國三十四年作，民國六十六年收入東大圖書公司印行中國學術思想史論叢

㈢册內。

葛洪略歷　日人下見隆雄撰，昭和四十年收入御手洗勝所撰抱朴子外篇簡注㈠册內。

葛洪事蹟與著述考　民國林麗雪撰，國立編譯館館刊六卷二期內。

平津館叢書本抱朴子の成立について　日人下見隆雄撰，福岡女子短大紀要第六號內。

肘後備急方　晉葛洪撰，正統道藏本。

葛洪の著書について——肘後備急方——日人下見隆雄撰，福岡女子短大紀要第七號內。

葛洪撰とされた書名　日人下見隆雄撰，昭和四十三年收入御手洗勝所撰抱朴子外篇簡注㈢册內。

抱朴子研究　民國梁榮茂撰，民國六十六年牧童出版社排印本。

抱朴子外篇之研究　民國藍秀隆撰，台北商專學報第十期內。

葛洪學術思想研究　民國葉論啓撰，國立師範大學國文研究所碩士論文。

抱朴子內篇思想析論——葛洪研究之二　民國林麗雪撰，國立編譯館館刊七卷二期內。

抱朴子的道教思想　民國尤信雄撰，師大國文學報第七期內。

葛洪的儒家思想　民國尤信雄撰，鵝湖月刊二卷十一期內。

神仙傳　晉葛洪撰，廣漢魏叢書本。

西京雜記　晉葛洪撰，商務印書館四部叢刊本。

論西京雜記之作者及成書時代　民國勞榦撰，中央研究院歷史語言研究所集刊第卅三本內。

再說西京雜記　民國洪業撰，中央研究院歷史語言研究所集刊第卅四本內。
西京雜記的研究　民國古苔光撰，淡江學報十五期內。
詩經　漢毛公傳，漢鄭玄箋，唐孔穎達正義，民國四十四年藝文印書館景印嘉慶二十年江西南昌府學刊本。
大戴禮記　漢戴德撰，商務印書館四部叢刊本。
禮記　漢戴聖撰，漢鄭玄注，唐孔穎達疏，民國四十四年藝文印書館景印嘉慶二十年江西南昌府學刊本。
左傳　先秦左丘明撰，晉杜預注，唐孔穎達疏，民國四十四年藝文印書館景印嘉慶二十年江西南昌府學刊本。
穀梁傳　先秦穀梁赤撰，晉范甯注，唐楊士勛疏，民國四十四年藝文印書館景印嘉慶二十年江西南昌府學刊本。
論語　魏何晏等注，宋邢昺疏，民國四十四年藝文印書館景印嘉慶二十年江西南昌府學刊本。
說文解字　漢許愼撰，宋徐鉉注，民國四十八年藝文印書館景宋本。
說文解字注　清段玉裁撰，藝文印書館景印經韵樓刊本。
經典釋文　唐陸德明撰，商務印書館四部叢刊本。
廣韻　宋陳彭年等修，廣文書局景印澤存堂本。

集韻　宋丁度等修，商務印書館景印曹楝亭本。
國語　先秦左丘明撰，吳韋昭注，商務印書館四部叢刊本。
史記　漢司馬遷撰，劉宋裴駰集解，唐司馬貞索隱，唐張守節正義，藝文印書館景印乾隆四年校刊本。
漢書　東漢班固撰，唐顏師古注，清王先謙補注，藝文印書館景印長沙王氏虛受堂校刊本。
後漢書　劉宋范曄撰，唐李賢等注，鼎文書局排印本。
三國志　晉陳壽撰，劉宋裴松之注，鼎文書局排印本。
晉書　唐房玄齡等撰，民國吳士鑑劉承幹斠注，成文出版社仁壽本二十六史景印吳興劉氏嘉業堂刊本。
補晉書藝文志　清丁國鈞撰，丁辰刋誤，開明書店二十五史補編內。
補晉書藝文志　清文廷式撰，開明書店二十五史補編內。
補晉書藝文志　清秦榮光撰，開明書店二十五史補編內。
補晉書經籍志　民國吳士鑑撰，開明書店二十五史補編內。
補晉書藝文志　清黃逢元撰，開明書店二十五史補編內。
東晉方鎭年表　清萬斯同撰，開明書店二十五史補編內。
東晉方鎭年表　民國吳廷燮撰，開明書店二十五史補編內。
東晉南北朝學術編年　民國劉汝霖撰，民國六十八年長安出版社景印本。
梁書　唐姚思廉魏徵等撰，商務印書館百衲本二十四史本。

魏書　北齊魏收撰，商務印書館百衲本二十四史本。
隋書　唐魏徵等撰，商務印書館百衲本二十四史本。
舊唐書　後晉劉昫等撰，商務印書館百衲本二十四史本。
新唐書　宋歐陽修宋祁撰，商務印書館百衲本二十四史本。
宋史　元脫脫等撰，商務印書館百衲本二十四史本。
水經注　漢桑欽撰，後魏酈道元注，商務印書館四部叢刋本。
史通　唐劉知幾撰，商務印書館四部叢刋本。
通典　唐杜佑撰，清高宗文淵閣四庫全書鈔本。
通志　宋鄭樵撰，新興書局景印本。
文獻通考　元馬端臨撰，明嘉靖三年司禮監刋本。
續文獻通考　明王圻撰，民國六十八年文海出版社景印明萬曆刋本。
元和郡縣志　唐李吉甫撰，畿輔叢書本。
太平寰宇記　宋樂史撰，民國五十二年文海出版社景印嘉慶八年刋本。
資治通鑑　宋司馬光撰，商務印書館四部叢刋本。
疑年錄　清錢大昕撰，粤雅堂叢書本。
讀史方輿紀要　清顧祖禹撰，樂天出版社景印排印本。

羅浮志　明陳槤撰，明成化五年嶺南遺書本。
廣州府志、番禺縣志　清李福泰修，清史澄等纂，成文出版社景印清同治十年刊本。
句容縣志　清曹襲先纂修，成文出版社景印清光緒二十六年重刊本。
崇文總目　宋王堯臣等撰，清錢東垣朱錫鬯等輯釋，商務印書館國學基本叢書四百種本。
遂初堂書目　宋尤袤撰，廣文書局景印本。
郡齋讀書志　宋晁公武撰，商務印書館國學基本叢書四百種本。
直齋書錄解題　宋陳振孫撰，廣文書局景印本。
菉竹堂書目　明葉盛撰，粵雅堂叢書本。
鄭堂讀書記　清周中孚撰，吳興叢書本。
皕宋樓藏書志　清陸心源撰，廣文書局景印本。
善本書室藏書志　清丁丙撰，廣文書局景印本。
蕘圃藏書題識　清黃丕烈撰，廣文書局景印本。
絳雲樓書目　清錢謙益撰，廣文書局景印本。
述古堂藏書目　清錢曾撰，廣文書局景印本。
讀書敏求記　清錢曾撰，清章鈺校證，廣文書局景印本。
越縵堂讀書記　清李慈銘撰，民國五十年世界書局排印本。

藏園群書題記初集續集　清傅增湘撰，廣文書局景印本。

四庫全書總目提要　清永瑢等撰，藝文印書館景印原刻本。

四庫提要辨證　民國余嘉錫撰，藝文印書館景印本。

五十萬卷樓藏書目錄初編　民國莫伯驥撰，廣文書局景印本。

日本國見在書目　日人藤原佐世撰，廣文書局景印本。

中國歷史地理　民國王恢撰，民國六十五年學生書局排印本。

歷代人物年里碑傳綜表　民國姜亮夫撰，民國六十五年華世出版社增訂本。

中國歷史疆域古今對照圖說　民國樊開印撰，民國六十八年徐氏基金會排印本。

老子道德經　先秦李耳撰，漢河上公注，商務印書館四部叢刊本。

莊子　先秦莊周撰，晉郭象注，唐成玄英疏，清郭慶藩集釋，世界書局排印本。

論衡　東漢王充撰，商務印書館四部叢刊本。

新論　東漢桓譚撰，清嚴可均輯校，民國六十一年中文出版社景印全上古三代秦漢三國六朝文之「全後漢文」。

世說新語　劉宋劉義慶撰，梁劉孝標注，商務印書館四部叢刊本。

顏氏家訓　北齊顏之推撰，世界書局排印本。

仙傳拾遺　蜀杜光庭撰，民國六十三年藝文印書館「道教研究資料」第一輯排印本。

元和姓纂　唐林寶撰，民國岑仲勉校，中央研究院歷史語言研究所專刊之二十九。
酉陽雜俎　唐段成式撰，商務印書館四部叢刋本。
歷代名畫記　唐張彥遠撰，清高宗文淵閣四庫全書鈔本。
雲笈七籤　宋張君房撰，商務印書館四部叢書本。
集仙傳　宋曾慥撰，商務印書館景印說郛本。
續博物志　宋李石撰，商務印書館景印說郛本。
揮麈錄　宋王明清撰，商務印書館四部叢刋本。
東觀餘論　宋黃伯思撰，清高宗文淵閣四庫全書鈔本。
玄品錄　元張雨撰，民國六十三年藝文印書館「道教研究資料」第一輯排印本。
四部正譌　明胡應麟撰，民國五十八年開明書店排印本。
諸子辯　明宋濂撰，商務印書館國學基本叢書四百種本。
呻吟語　明呂坤撰，民國六十三年河洛出版社排印本。
鐵橋漫稿　清嚴可均撰，心矩齋叢書本。
札迻　清孫詒讓撰，民國五十三年世界書局景印本。
諸子平議補錄　清俞樾撰，世界書局排印本。
僞書通考　民國張心澂撰，商務印書館排印本。

正統道藏　藝文印書館景印上海涵芬樓重印本。
道藏舉要　商務印書館輯印本。
道藏目錄詳註　明白雲霽撰，清高宗文淵閣四庫全書鈔本。
道藏源流考　民國陳國符撰，民國六十四年古亭書屋景印本。
中國哲學思想史（兩漢、南北朝篇）　民國羅光撰，民國六十七年學生書局排印本。
魏晉的自然主義　民國容肇祖撰，商務印書館排印本。
魏晉思想論　民國劉大杰撰，中華書局排印本。
魏晉玄學論稿　民國湯用彤撰，民國六十一年廬山出版社排印本。
魏晉南北朝文士與道教之關係　民國李豐楙撰，國立政治大學中文所博士論文。
中國小說史　民國范烟橋撰，民國六十六年長安出版社景印本。
郭璞年譜初稿　民國游信利撰，政大中文所印行中華學苑第十期內。
全上古三代秦漢三國六朝文　清嚴可均輯校，民國六十一年中文出版社景印本。
兩晉南北朝文彙　民國高明師主編，民國四十九年中華叢書編審委員會排印本。
文心雕龍　梁劉勰撰，商務印書館四部叢刊本。
文選　梁蕭統編，商務印書館四部叢刊本。
意林　南唐馬總撰，商務印書館四部叢刊本。

北堂書鈔　隋虞世南編，民國六十三年宏業書局景印光緒戊子年南海孔氏三十有三萬卷堂校注重刊本。
藝文類聚　唐歐陽詢編，新興書局景印本。
初學記　唐徐堅撰，民國六十一年鼎文書局景印本。
太平御覽　宋李昉編，民國六十四年商務印書館景印南宋蜀刋本。
玉海　宋王應麟撰，華文書局景印元後至三年慶元路儒學刋本。
說郛　元陶宗儀撰，民國六十一年商務印書館景印涵芬樓刋本。
古今圖書集成　清陳夢雷編，民國五十三年文星書店縮印本。
玉函山房輯佚書　清馬國翰輯，民國六十三年文海出版社景印同治十年辛未濟南皇華館書局補刻本。
杜詩詳註　唐杜甫撰，清仇兆鰲注，國立故宮博物院藏清文淵閣四庫全書本。
歐陽修全集　北宋歐陽修撰，民國六十四年河洛出版社景印本。
臨川先生文集　北宋王安石撰，商務印書館四部叢刋本。
宛陵先生集　宋梅堯臣撰，商務印書館四部叢刋本。
四六法海　明王志堅輯，清高宗文淵閣四庫全書本。
抱經堂文集　清盧文弨撰，商務印書館四部叢刋本。
漢魏南北朝外來的醫術與藥物的考證　民國陳竺同撰，國立暨南大學印行暨南學報第一卷第一號。
文藝心理學　民國朱孟實撰，民國二十五年開明書店排印本。

從雕飾到放蕩的文章論　民國王夢鷗撰，中外文學八卷五期內。
陸機及其詩　民國康榮吉撰，民國五十八年八月嘉新水泥公司文化基金會研究論文第一〇五種。
六朝文論　民國廖蔚卿撰，民國六十七年聯經出版事業公司排印本。
魏晉南北朝文學思想史　民國張仁青撰，民國六十七年文史哲出版社排印本。
魏晉六朝文學批評史　民國羅根澤撰，商務印書館人人文庫本。
兩漢魏晉南北朝文學批評資料彙編　民國柯慶明曾永義編，民國六十七年成文出版社排印本。
中國歷代文論選　民國六十九年木鐸出版社景印本。
中國文學史論文選集(二)　民國羅聯添編，民國六十七年學生書局排印本。
中國文學批評史　民國陳鐘凡撰，民國六十八年鳴宇出版社排印本。
漢魏六朝文學　民國陳鐘凡撰，商務印書館人人文庫本。
中古文學史論　民國王瑤撰，民國六十四年長安出版社景印本。
中國中古文學史　民國劉師培撰，民國六十二年正生書局景印本。
中國文學批評史大綱　民國朱東潤撰，開明書店排印本。
中國文學批評史　民國郭紹虞撰，商務印書館排印本、明倫出版社景印本。
中國文學發展史　民國劉大杰撰，華正書局景印本。